MANUELA GRETKOWSKA
SILIKON

MANUELA GRETKOWSKA
SILIKON

WARSZAWA

Sen i sens

Można nie wierzyć w duchy, ale trudno nie wierzyć w cmentarze. Można nie wierzyć w sny, ale... mogę być niezadowolona, że stworzono mnie na obraz i wzór sennego marzenia, a właściwie majaku. Adam też był niezadowolony z tego, co zrobił dla niego Bóg. „Nie jest dobrze, by człowiek był sam, uczynię mu pomoc" – pomyślał Bóg i stworzył zwierzęta. Adam nie poczuł się z nimi mniej samotny. „Nie ma dla mnie pomocy" – narzekał. Niezły początek, pierwszy prezent i pierwsze rozczarowanie. Rozżalony Adam usnął i marzył o istocie tak onirycznie pięknej, żeby zapomnieć przy niej o samotności.

W snach zdarzają się też koszmary. Tym razem Bóg uczynił to, czego pragnął Adam. Z jego snu ulepił Lilith, pierwszą żonę Adama. Została później przegnana z raju, czy też sama uciekła, apokryfy nie są co do tego zgodne. Wiemy o niej niewiele. Na pewno miała włosy czarne jak noc, bo Lilith i *leila* (noc) pochodzą od tego samego hebrajskiego słowa. Lilith, uwodzicielski koszmar, chciała opętać Adama, chociaż nie była zła. Jabłko dobrego i złego dopiero dojrzewało. Człowiek wyrwał się z jej objęć i Lilith błąka się nocą po rozstajach dróg, obejmując zagubionych podróżnych, a swe pragnienie gasi, chłepcząc krew noworodków, potomków Adama.

Człowiek nie mógł mieć pretensji do Boga, sam wyśnił Lilith. Ale miał też piękny sen o Ewie, matce życia. Bóg, zapatrzony w drugi sen Adama, stworzył mu drugą kobietę i przyprowadził ją do niego jak przeznaczenie, jak ojciec pannę młodą do ołtarza. Nadzieja na Miłość jest cnotą Wiary.

„To jest kość z mojej kości" – zachwycił się Adam, widząc, że Ewa jest jego spełnieniem. Żeńską stroną człowieka stworzoną we śnie, bo „Nie jest dobrze, by człowiek był sam", by rządził nim tylko rozsądek. Potrzebna mu jest podświadomość, pomoc sennej zjawy, by z jeszcze większym smakiem mógł zakosztować realności.

„Elle" 1996, nr 25 (październik)

I

Nawrócić czy porzucić

Jeżeli nie wyrzuci się z lektur obowiązkowych Sienkiewicza i Prusa, wyrośnie nowe pokolenie misjonarek. Misjonarka jest przekonana, że siłą woli i zbożnym przykładem zmieni łajdaka w porządnego faceta. Nawróci go, poślubi (jeśli jeszcze tego nie uczyniła), ucywilizuje i będzie jak w książkach. Przecież wystarczyło, by Krzysia poruszyła swym czarnym wąsikiem, a Panu Wołodyjowskiemu świat aż po kresy się zamglił. Ligia jeno spojrzała na Winicjusza, a ten stał się chrześcijaninem. Oleńka nóżką tupnęła i Kmicic tak się przeraził, że prawie całą Rzeczpospolitą wyzwolił, a Wokulski dla Izabeli nauczył się angielskiego. Więc misjonarka się poświęca, czeka, robi za niego niemal wszystko (90 procent prac domowych wykonują w Polsce kobiety), by on miał czas się nawrócić. Niekiedy dopadają misjonarkę zwątpienie i beznadzieja, wtedy jej „wzrok dziki, suknia plugawa", ale wkrótce odzyskuje energię, bo przecież jest w misji... a On? On się zmieni, sporządnieje, pokocha do szaleństwa. Niestety, łajdak – kochaś czy superman – zostanie, jaki był, choć zdarzy mu się na krótko, najczęściej w okresie godowym, stać się ideałem. Ale długie stanie nuży. Siostry misjonarki, zrozumcie: faceta nie da się zmienić, chyba że na innego...

Niestety, kolejne pokolenie panienek jest już zatrute polską klasyką. Tegoroczna warszawska miss nastolatek oświadczyła, że jej ulubioną lekturą jest Sienkiewicz. O ile pamiętam, w liceum ulubionymi lekturami były te nieobowiązkowe, a nawet zakazane. Autorytetem dla miss jest mama (spróbuj no, wychudła-jak-modelka córo marnietrawiąca, nie słuchać mamy) i papież. Też jestem fanką papieża, ale wiem, że nastolatki wolą słuchać „U2" niż Jana Pawła 2. Misjonarka chciała chyba zasugerować, że skoro czytuje Sienkiewicza, to nadaje się na kobiecy ideał, czyli męczennicę, a mając za patronów mamę i papieża, jest na pewno dziewicą. Nikt w to nie wątpi, wszak przeciętna Polka ma za sobą ten pierwszy raz w wieku siedemnastu, osiemnastu lat, a te inteligentniejsze, co fascynują się Sienkiewiczem, dobrze po dwudziestce.

Ofiarami szkolnych lektur wydają się też piosenkarki rockowe. Niektóre młode, utalentowane polskie rockmanki mają cudowną manierę liryczności: śpiewają, że jest źle, duszą się, rzężą... (i tak im nie wierzę). Występują w długich sukniach, sukmanach (tzw. sceniczny purytanizm), aż chciałoby się chwycić nożyczki i obciąć te giezła, by pokazać nogi, wydłubać dekolt i błagać o naturalność. Wiem: świat jest zły i ponury, ale szczęśliwcy, mający MTV, mogą pooglądać na przykład uśmiechniętą Sheryl Crow (uśmiechnięte też są niezłe), grającą i nie zgrywającą się na młodą-starą. Pragnienie cierpiętnictwa, gwarantującego zasłużony sukces (patrz *Kamień i cierpienie* o genialnym Michale Aniele), jest wszechogarniające. Jeśli jedna z niewielu młodych gwiazd piosenkarskich wygląda jak modelka, śpiewa jak anioł i ma urok naturalności, to tworzy się wokół niej aurę niechybnego nieszczęścia. Szepty i plotki, jakoby ciążyła nad nią klątwa, bo już dzieciństwo miała tragiczne. A dziewczyna ma talent, wrażliwość, zdrowa jest jak rzepa i tak szczęśliwa, że wszystkim paniom i krytykom muzycznym tego życzę.

„Elle" 1995, nr 13 (październik)

Zakazane pieszczoty

Mieszkam przy Nowym Świecie i kilka razy musiałam przechodzić w poprzek różnych manifestacji, by dojść do ulicy Wareckiej. Przedzierając się przez tłum, żądający ustawy antyaborcyjnej, maszerowałam chwilę z demonstrującymi, na tyle długo, na ile nasze poglądy były zbieżne (życie jest świętością), jednak po paru metrach nasze drogi się rozeszły. Kiedy dotarłam z pustymi baniakami do źródełka oligoceńskiego przy Wareckiej, pomyślałam, że cudem byłoby długo oczekiwane Przyjście Ministra, umiejącego jakąś ustawą przemienić brudną wodę w czystą. Jeżeli nadal będziemy truli się kranówą, to nowo narodzone dzieci nie napoczną swego życia, uśmiercone wodą podczas chrztu.

Wracam, wychlapując wodę z pełnych baniaków na bruk ulicy Ordynackiej, gdzie modlący się co tydzień protestują przed przychodnią zdrowia w takim stylu, jakby skrobanka była zakazaną pieszczotą erotyczną. Przecież żadna kobieta nie usuwa ciąży dla przyjemności! Poddające się aborcji w większości zachowałyby dziecko, gdyby mogły je wychować. Dlaczego miliony ludzi w Polsce, żądając ustawy antyaborcyjnej, nie pomyślą naprawdę o dobru matki i dziecka? Dlaczego nie żądają, by podnieść zasiłek rodzinny z 25 do 300-600 zł, bo tyle mniej więcej potrzeba na miesięczne utrzymanie dziecka (w stanie zadowalającym normy ludzkie i boskie)? Że wstrząsnęłoby to gospodarką? Przecież papież głosi, iż człowiek jest ważniejszy od ekonomii. Ciężarne nie są matrycami do produkcji dzieci, są matkami i należy się im społeczny szacunek, wyrażony choćby prawdziwym zasiłkiem, a nie jałmużną, zwaną „rodzinnym". Urodzenie dziecka będzie wtedy tym, czym być powinno – darem miłości i życia, a nie rodzajem samobójstwa. Jestem osobą wierzącą, ale także rozumiejącą – w przeciwieństwie do Tertuliana, który wierzył, bo nie rozumiał, a z jego pomysłów Kościół mimo wszystko wiele zaczerpnął. Rozumiem nieszczęście kobiet decydujących się na aborcję. Nie rozumiem natomiast, dlaczego nieźle zarabiający posłowie i senatorowie, którzy nie kwapią się ze zmianą zasiłków humorystycznych na naprawdę rodzinne, nie skorzystali dotychczas z mądrości Aborygenów. Ci mieszkańcy Australii od czterdziestu tysięcy lat stosują wspaniały naturalny środek antykoncepcyjny, skuteczniejszy od kalendarzyka małżeńskiego. Aborygeńscy młodziankowie, wyznający tradycyjne wartości (mniej więcej równie gorliwie i bez refleksji, jak w Polsce chłopcy z „Frondy") poddają się zabiegowi inicjacji. Polega on na rozpołowieniu członka kamieniem. Z rozdwojonego penisa mocz wydobywa się normalnie cewką moczową, a nasienie wytryskuje tuż u nasady, przy mosznie. Tym sposobem aborygeńska para głębokością stosunku miłosnego decyduje, czy pocznie dziecko. W Polsce mężczyźni dali(by) się posiekać na kawałki za ojczyznę i dla ukochanej, ale – niestety – nie wszędzie. Podejrzewam, że polscy intelektualiści, tacy jak pan Szczypiorski, znowu zakrzykną, że pisarki mają obsesję penisa, w związku z czym jedno im w głowie, jakby literatura była wyłącznie sztuką oralną. Bodajże rok temu we „Wprost" opiewał nawet czczony jakoby przez młodą prozę „czarny penis".

Dziewczyny ogłosiły więc konkurs imienia Andrzeja Szczypiorskiego z atrakcyjną nagrodą dla tego, kto odnajdzie w ich książkach ów archetypiczny „czarny penis", o którym do tej pory dziewiczo nie miały pojęcia. Żeby znowu nie być posądzoną o pornografię i kontrowersyjność (to słowo zastąpiło kojarzący się z filisterstwem „skandal"), uprzedzam, że moja wyprawa do Australii była pozbawiona takiego podtekstu. Aborygeński penis zainteresował mnie wyłącznie zawodowo, bowiem jedną z moich profesji jest antropologia. Chociaż nie przeczę, że jako przyszła matka interesuję się świadomym macierzyństwem.

Nie chciałabym, żeby ta wycieczka na antypody przerwała opowieść o mojej ulicy. Z Nowego

Światu warto przejść na Krakowskie Przedmieście i zajrzeć do Ministerstwa Kultury i Sztuki. Na ścianie zamiast niekontrowersyjnego portretu Chopina czy choćby kopii wojennej Matejki wisi obrzydliwy kogucik z kolorowej sklejki. We Francji kogut symbolizuje galicyjską jurność. Ten żałosny z ministerstwa kojarzy się raczej z ludową przyśpiewką: „Wyciął sobie idiota kogutka, by mu piał, skoro świt". Obok wyciętego kogutka dwie olbrzymie tablice, z których można wyczytać o wzroście lub upadku: sypania piaskiem, wyrobu rękawiczek na desce, fajczarstwa. Szkoda, że Francuzi zarezerwowali już sobie La Comédie Française: nam pozostaje ogłosić budowę La Tragédie Polonaise, ale równie zasłużonej, co wesołej.

„Wprost" 1997, nr 29

Nie kastrujcie Banderasa!

Poddano mnie wielu operacjom kosmetycznym. Znosiłam dzielnie męki cięć i retuszy. Zdecydowałam się w końcu o nich opowiedzieć. Wyłącznie o swoich przeżyciach, chociaż domyślam się, co musieli przecierpieć inni, gdy ręcznie lub za pomocą komputera upiększano ich teksty.

Podpisanie tekstu w gazecie jest coraz częściej daniem swego logo pod czyjąś (korekty, redakcji?) myślą. Poprawiacze cudzych tekstów wyznają zasadę: „im więcej przekręcę, tym bardziej jestem", i zostawiają po sobie ślad odciśnięty nie łapką, lecz stopką redakcyjną. Pół biedy, gdy tak jak we „Wprost", ktoś zmieni „niefortunną rozmowę Chrystusa z konsulem Piłatem" na „nieformalną". Może „nieformalność" bardziej pasuje do ewangelicznej rozmowy z dyplomatą, bo był to wszakże dialog prywatny, ku przyjemności Piłata, wykształconego na sofizmatach i formach prawa rzymskiego. Mimo że chodziło mi o skutek tego dyskursu, a nie o formę, mogę zrozumieć poprawiacza:

podświadomie wczuł się w antyk i zgodnie z arystotelesowskim sposobem rozumowania uznał to, co niefortunne, za pozbawione formy. Gdy jednak tekst jest nie o Mesjaszu, lecz o seksownym Banderasie, podświadomość przybiera współczesne formy freudowskich kompleksów. W jednym z pism kobiecych damska rączka wycięła (mi) męskie jądra z hymnu na cześć słodkiego od hormonów głosu Antka Banderasa: „Męski tembr głosu powstaje z mutacji, jest echem dojrzewających jąder, gdy chłopiec zamienia się w młodzieńca. Sygnałem, że mężczyzna dojrzał do miłości". Tak więc kobieca zazdrość o penisa posługuje się tym, co akurat ma pod ręką – a to nożem, a to długopisikiem.

Można by pomyśleć, że wydawanie książek – żmudniejsze od redagowania gazet – zniechęca poprawiaczy do wpisywania własnych koncepcji (na przykład teologicznych) w tekst autora. Ale gdzie tam. Ostatnia korekta, wszystko przejrzane kilka razy, bezbłędne, książka idzie do drukarni i w nowiutkim egzemplarzu *Kabaretu metafizycznego*, w zdaniu: „Chrystus nas zbawił, to już wielki cud, ale kto nas teraz zabawi?", słowo „zabawi" zmieniono na „zbawi". Zdanie traci sens, lecz zyskuje głębię metafizyczną, ba – heretycką. Nie sądzę, żebym miała szczególnego pecha korekcyjnego do Jezusa Chrystusa. Podejrzewam, że w tak religijnym kraju jak Polska każdy (poprawiacz) ma swoje poglądy na temat roli Mesjasza w tekście i gdzie indziej.

Najciekawiej jest prześledzić, w jaki sposób pracują zawodowi poprawiacze z języka na język, czyli tłumacze. Nie uwłaczając ich profesji, przypomina to niekiedy pracę anegdotycznej telefonistki z hotelu, która zrozumiawszy złożone po angielsku zamówienie dwóch herbat do pokoju numer dwa jako „Tu ti tu tu", odpowiedziała: „A tu ti-taka". Dostałam do przejrzenia francuskie tłumaczenie jednej z moich książek, przy którym pracowała pani znająca polski i pan nie mówiący ani słowa w języku słowiańskim, ale za to poeta. Zasłużone paryskie wydawnictwo, tak więc i ja z pełnym szacunkiem zasiadłam do lektury. Czytając, zdałam sobie z przerażeniem sprawę, że nie jest to tłumaczenie, lecz wytłumaczenie. W polskiej wersji bohater wstrzykuje sobie lizol, wzbudzając tym ciekawość przyjaciół, czy można przeżyć z lizolem we krwi. Francuska tłumaczka nie miała pojęcia, czym jest lizol, we Francji nazywa się on poetycko *l'eau de javel*. Na szczęście współpracujący z nią poeta nie poszedł dalej tropem skojarzeń językowych i nie wymyślili czegoś z „lizaniem". Tłumaczka zajrzała do słownika, gdzie znalazła wyjaśnienie, że lizol to jakiś kwas, i to skojarzyła zapewne z innym popularnym kwasem, zwanym naukowo dwuetyloamidem kwasu lizergowego, czyli halucynogennym LSD. I tak z iście kartezjańską logiką, chlubą Francuzów, przerobiono samobójcę na ćpuna, bo z LSD wstrzykniętym czy zjedzonym można żyć, i to jak - dwadzieścia cztery godziny wirtualnych halucynacji.

Po prostu zwycięstwo *l'esprit* nad materią tłumaczonej powieści. Być może w pracy tłumacza, podobnie jak korektora, wydostają się z podświadomości archetypy--stereotypy. Francuska niefrasobliwość, niemiecka solidność i dosłowność. Zaczęłam mieć takie podejrzenia po liście niemieckiej tłumaczki, zmagającej się z moim *Podręcznikiem do ludzi*: „Co to jest «sałatka po kantońsku z faszerowanych robali»? Co to ma być robal? Robale??? Czy literówka od robala? Jestem w niezłej sytuacji, że mam sinologa pod ręką (mój mąż), ale on nie zna takiego chińskiego czy kantońskiego dania, chociaż mówi, że nie ma czegoś, czego by Kantończycy nie zjedli. A co do słowa «mineta» – wiem tyle, że po niemiecku jest takie samo słowo «Minette» (ale raczej w sensie kobiety udzielającej minetę, czyli mineciary). Ciekawe, że na niemiecki nie jest to łatwe do tłumaczenia, ponieważ zależy, kto i komu. 1. Jeżeli ona jemu, wtedy mówi się: «einen blasen», «sie bläst ihm einen». 2. Jeżeli on jej, nie ma na to żadnego niemieckiego odpowiednika. 3. Jeżeli on i ona sobie nawzajem, to mówi się: «französisch», «französischer Verkehr»". No cóż, w związku poprawiacz-autor rzadko kiedy „udzielają sobie nawzajem", najczęściej poprawiacz autorowi, co się nazywa korektą lub tłumaczeniem. W drugą stronę nie ma odpowiednika i stąd się czasem biorą cierpienia młodego Verkehra.

„Wprost" 1998, nr 3

Konsul Piłat i inni

Przyjęcia w ambasadach są celebrowane, jakby chciano ratować ginący gatunek gości dyplomatycznych. Gdy państwo ambasadorostwo z akcentem narodowym i językowym witają przesuwających się rzędkiem pana i panią X, pana i panią Y – przypomina to wstępowanie par do arki Noego.

O wiele ciekawsze są konsulaty, gdzie bez zderzaków etykiety tubylcy muszą sobie radzić z tambylcami. Zanim moim hobby stało się ich zwiedzanie, musiałam przejść przez polski konsulat w Paryżu. Poprosiłam nowego, postkomunistycznego urzędnika o paszport, bo od kilku lat byłam *bezprizornaja*. Konsul, zadowolony, że w jego placówce chcę trwać przy polskości, miał jednak kłopot: chciałam ten paszport na następny dzień, gdyż zaraz miałam jechać do Włoch. Licytacja trwała krótko. On wyłożył formularze, a ja bilet do Rzymu. „Drogi konsulu, jeżeli nie dostanę paszportu od razu, i tak pojadę na cudzy. Mam koleżankę, też blondynkę, a we Włoszech *una bionda* jest identyczna z inną *biondą*. Są tam rasą nierozróżnialną, jak dla nas Murzyni czy Chińczycy". Odwiedzanie Polaków w więzieniach najwyraźniej nie należało do ulubionych obowiązków konsula. Westchnął i napisał, co trzeba. Tak więc mój paszport zadziwia celników całego świata: pod koniec XX wieku pełno w nim kleksów wilgoci, bo wypisano go ręcznie, wykaligrafowano ostatnim odruchem nieskomputeryzowanej, ludzkiej serdeczności.

Konsulat marokański w Warszawie ogranicza swe kontakty z cudzoziemcami do dziury w szybie. Wysiada się z windy w jakimś korytarzu wieżowca i tam oddaje dokumenty. Na prośbę o strzęp zaświadczenia, iż w czeluści zniknął mój jedyny dowód tożsamości, oburzona Marokanka zwraca mi z obrzydzeniem wszystkie papiery: „Jak to, przecież nie są złodziejami czy kuglarzami z Marrakeszu, wzięli, to oddadzą! Nie ma zaufania, to nie". Oczywiście, że mam, wizę w końcu też. Indyjski konsulat, znajdujący się również przy windzie, daje zaświadczenia o przetrzymywaniu paszportu, ale nie wyda tak łatwo wizy, jeśli w rubryce „zawód" wpisało się: „dziennikarz". Przekonuję, że niczego nie napiszę o ich kraju, co można bowiem zobaczyć przez kilka godzin tranzytu w Delhi. Czy to prawda? „A cóż to jest prawda?" – zapytał prokonsul Piłat. Wiadomo z historii chrześcijaństwa, jak fatalne skutki może mieć taka nieformalna rozmowa. Dlatego obiecuję sobie, że następnym razem wpiszę neutralny zawód, może *woman*. Chiński konsulat już na początek propo-

21

nuje reedukację z europejskiej niecierpliwości: wiza na-
zajutrz – 80 zł, po kilku dniach czekania – 50 zł, po tygodniu – za darmo. Ostatnim konsulatem w książce te-
lefonicznej był Zair, ale właśnie przeskoczył na pozycję
„K". Zjawiłam się na Hożej, w budynku, naprzeciw którego urodził się autor *Bzika tropikalnego* – Witkacy.
Konsul w nienagannej francuszczyźnie mylił jeszcze
Kongo z Zairem. Żeby nie było wątpliwości, o jakim
kraju mowa, pokazał mi zdjęcia swojej rodziny – rzędy
przepięknych córek z dziećmi na tle krajobrazu środ-
kowej Afryki. „Czy nie muszę się zaszczepić?" – oczeki-
wałam listy choler i malarii. „Na własną odpowiedzial-
ność. My tego nie wymagamy" – stwierdził konsul.
Pochwalił się wizytówkami dziennikarzy kilku gazet
i telewizji, jedynych odważnych, którzy zaryzykowali
wizytę w czasie przewrotu. Mnie interesowała religia:
„Czy oprócz chrześcijaństwa jest w Kongo jakaś inna
religia, na przykład *voodoo*?". „Niestety, nie ma". Po-
padliśmy w smutek. Konsul bardzo chciał dać mi wizę,
a ja bardzo chciałam wyjechać. „No, to może są jakieś
wierzenia?" – nie traciłam nadziei. „Trzeba było od razu tak mówić! Jasne, że są. Religia sobie, a wierzenia sobie". Nie pojechałam do Konga. Cena biletu samoloto-
wego kursującego między Kinszasą a Europą z często-
tliwością dyliżansu, raz na tydzień, była astronomicz-
na. Także wiza okazała się droga. Jej cenę z dolarów na
złotówki przeliczał w pamięci kongijski asystent konsula, doktor fizyki.

Czy istnieje konsulat doskonały? Na razie nie, ale niebawem powstanie prawdziwie ludzki. Jeśli za jakiś czas dogadamy się z inną cywilizacją – być może rozwiniętą z krzemu – nasz ludzki konsulat powinien zatrudnić polskiego konsula z Paryża. Pokazałby on wyższość zdolnego do wzruszeń białka nad krzemową bezdusznością komputerowych mózgów. Przydałby się też konsul kongijski. Szybkość, z jaką jest w stanie wysłać podróżnika do celu, okaże się niezbędna, gdy przekroczymy prędkość światła. Konieczny będzie również amerykański konsul urzędowo przychylny dziennikarzom, gdyż możemy być pewni, że po kosmonautach innej cywilizacji zjawią się ich dziennikarze. Dla astrofizyków wszystko, co istnieje, jest zakodowaną informacją, tak więc dziennikarska forma bytowania, żerująca na wiadomościach, rozwija się zapewne w całym wszechświecie. Jej echem – odkrytym i potwierdzonym naukowo – jest radiowy szum wypełniający kosmos.

„Wprost" 1997, nr 38

Chorobliwie zdrowy kraj

Żeby porównać kraje, zaczyna się od początku – dochód, liczba obywateli (żywych), a nie od końca, czyli od cmentarza. Ale bywają cmentarze statystycznie jednakowe: jeżeli pierwszego listopada zapala się lampki, to w państwie demokratyczno-luterańskim, jakim jest Szwecja, każdy grób będzie miał swoją świeczkę zafundowaną przez parafię. Równi za życia, jednakowo oświetleni po śmierci, skoro wszyscy płacą podatki na państwo i Kościół.

I trudno powiedzieć, czy protestanckie poczucie powinności i skromnej jednakowości ujednolica także statystyki zgonów. Szwedzi w wieku osiemnastu–czterdziestu pięciu lat najczęściej umierają na samobójstwo. Przeciętny obywatel tego kraju umrze statystycznie w wieku osiemdziesięciu lat. Nie każdy jednak ma ochotę dożyć starości po obejrzeniu najnowszej debaty parlamentarnej nad tym, kto jest winien zaniedbań w jednym ze sztokholmskich domów starców. Gdyby na oddziale geriatrycznym były cztery osoby, jak zazwyczaj, a nie dwie (redukcja etatów), chory staruszek miałby lepszą opiekę i nie odwodniłby się na śmierć. Szwedzka posłanka prosto do kamery popłakała się nad losem zmarłego dziadka. W polskim parlamencie tego rodzaju sprawy załatwia się zbiorowo, bez rozczulania: dzięki wyrównaniom emerytalnym staruszkowie są na przemian jednakowo odżywiani i odwadniani.

Oczywiście za luksusowe szwedzkie domy spokojnej starości ktoś zapłacił. Najczęściej mówi się, że dobrobyt zarabiający na szwedzkiej neutralności w czasie wojny. Ale ten dobrobyt ma coraz mniej spokojne sumienie. „Neutralność była pasywnym przyglądaniem się cudzemu cierpieniu" – jak to określiła szefowa szwedzkich feministek. Za neutralność się płaci, ale niekoniecznie się na niej traci, jeśli za rudę po alchemicznej przemianie bankowej dostawało się od hitlerowców złoto. Dopiero teraz, przy okazji afery ujawniania kont w szwajcarskich bankach, można się dowiedzieć coś niecoś o szwedzkich finansach podczas wojny. O transferze skradzionych przez nazistów dzieł sztuki, o tym, że niemieckie banki sprzedawały szwedzkim złoto odsprzedawane następnie dentystom. Złoto przechodzi więc nie tylko z rąk do rąk, ale i z ust do ust.

„Ukryta aryzacja" Szwecji polegała m.in. na tym, że ambasada niemiecka w Sztokholmie decydowała o doborze repertuarów teatralnych. Może Niemcy dbali w ten sposób o budującą rozrywkę dla dwóch milionów swoich żołnierzy przejeżdżających przez ten neutralny kraj. Jeden z niewielu szwedzkich bohaterów wojennych (trudno być bohaterem we własnym, neutralnym kraju), Raoul Wallenberg, ratujący w Budapeszcie Żydów, pochodził z rodziny bankowców bogacących się na handlu z hitlerowcami. Ich potomkowie byli ostatnio przesłuchiwani przez amerykańską komisję bankową, ujawniającą powiązania szwedzkiej rodziny Wallenbergów z wojennym przemysłem Niemiec.

Te wszystkie najświeższe wiadomości z historii kont bankowych nie wstrząsnęły Szwecją. Znany dziennikarz, komentując je w artykule „Pieniądze nie mają pamięci", stwierdził: „Co prawda złoto nie ma narodowości (...), ale warto sprawdzić, czy aby Chińczycy nie płacą za nasze telefony komórkowe złotem Tybetu". Bardzo praktyczna uwaga, bo skoro z przeszłością nie da się już nie zgodzić (przeprosiny nie są korektą faktów), lepiej ujawnić współczesne szwindle. Szwedzi nie interesują się za bardzo historią, bowiem należy ona do swego rodzaju nauk naturalnych, wymagających uprawiania pamięci. Naród, nie mający od dwustu lat wojny czy rewolucji, traktuje historię na podobieństwo worka czasu, lamusa. Można wyjąć z niego bibelot, jeśli pasuje do współczesności.

Szwecja jest pod pewnymi względami najnowocześniejszym krajem Europy (najwięcej telefonów komórkowych, komputerów, internetowców), technicznym i obyczajowym laboratorium przyszłości. Przypomina probówkę w rękach aż nazbyt trzeźwego naukowca, wzbraniającego się przed wlaniem do niej normalnej ilości alkoholu. Częściowa prohibicja w Szwecji powoduje, że ochota na jednego głębszego w weekend (najbliższy, oddalony o dwadzieścia kilometrów sklep z alkoholem jest wtedy zamknięty) staje się uzależnieniem od nieosiągalnej butelki. Abstynencja i alkoholizm są przez to niebezpiecznie blisko. Równie blisko, jak butelka szwedzkiej wódki „Absolut", podziwianej przez szybę zamkniętego sklepu. Kontemplujący ją człowiek staje się przez zapatrzenie absolutystą (zrobiłby wszystko, by ją mieć), po szwedzku *absolutist*, co oznacza nie ironicznie, lecz słownikowo właśnie – abstynenta.

Za co kochamy
Antka Bandziorasa

„Zdaję sobie sprawę, że całe zainteresowanie moją osobą niewiele ma wspólnego z kinem" – Antonio Banderas.

Kim jest mężczyzna, w którym na pewno możemy zakochać się od pierwszego wejrzenia? Pytano specjalistki od porywów serca: aktorki, modelki, pisarki. Zdecydowana większość odpowiedziała: tylko on! ANTONIO BANDERAS. Jak to wytłumaczyć, odpowiadam jako jedna z wielu jego wielbicielek.

1. Powinnam chyba iść do psychoanalityka, zachorowałam na Banderasa. Nawet jako nastolatka byłam odporna na tego rodzaju uczucia. No, może raz zadurzyłam się w Leonardzie Cohenie, ale nie było to zakochanie bezinteresowne, bo dzięki niemu, sylabizując *Famous Blue Raincoat*, uczyłam się angielskiego. Natomiast Banderas dopadł mnie w kwiecie wieku, równowagi psychicznej i emocjonalnej. Jak to wytłumaczyć? Na pewno Freudem. Mój ojciec też jest brunetem. Marcello Mastroianni to przy nim zaledwie szkic mężczyzny. Od czasów mego anorektycznego dzieciństwa nie-

bieskookiej blondyneczki wpatrywałam się w jego czarne oczy, zazdrościłam czarnych kędziorów i podziwiałam od dołu wiecznie niedogolony podbródek.

Tatuś, jak każdy prawdziwy mężczyzna, a więc i Banderas, strzelał z dwururki. I jak prawdziwy mężczyzna miewał z tego powodu kłopoty. Gdy ponosiła go myśliwska fantazja, zapominał, że mieszkamy w fabrycznej Łodzi. Wyruszał na łowy i sprowadzał do domu milicjantów, chociaż celował w ptactwo. Oczywiście, że po tym wszystkim moje serce należy do tatusia. Dlaczego jednak także do Banderasa? Przecież miliony dziewczyn zakochanych w atrakcyjnym Antku to córki blondynów, łysych lub cherlaków w typie Woody Allena. Skąd więc ta zbiorowa, desperacka namiętność? Prawdopodobnie Banderas zdobył nas nie na szacownej kanapie psychoanalityka, lecz w plenerze instynktów. Przypatrzmy się dokładniej naszemu idealnemu łowcy.

2. Facetów przyciąga zgrabna kobieca figura. Dla kobiet wabikiem jest męski głos (patrz punkt 3.) i twarz. W twarzy najważniejsze są oczy: mają być pożądliwe, ale i czułe, a cała oprawa inteligentna. Oczy Banderasa pałają namiętnością do każdej kamery, to znaczy do nas. Żar jego spojrzenia łagodzą długie, dziecinne rzęsy. Także jego twarz ze szczękami twardziela ma w sobie delikatność, gdyż mocne rysy roztapia dziecinny tłuszczyk. Okrągły podbródek, zaokrąglony,

choć wydatny nos, i wpatrujemy się w zdjęcie Antka jak zahipnotyzowane gęsi profesora Lorenza. Jesteśmy zaprogramowane na wszelkie dziecięce krągłości. Stajemy się dla nich czułe i opiekuńcze. Banderas jest na szczęście pełnoletnim chłopcem.

Zauważyłam, że moje uczucie jest proporcjonalne do długości jego włosów. W *Zwiąż mnie* był cudny, póki nie zdjął peruki; w *Desperado* uwodził średnio, a na długo został mi w pamięci po *Wywiadzie z wampirem*, gdzie miał najdłuższe włosy. Nie będę powoływać się na Biblię, udowadniając, że we włosach jest siła (przypadek Samsona), wystarczy popatrzeć na muskuły Banderasa. W naszych czasach długie włosy u mężczyzn oznaczają artystyczną wrażliwość (wyobrażenie o natchnionym poecie, malarzu) i pozostałości hipisowskiej niezależności. (Uwaga: długie pióra u heavymetalowców, służące wyłącznie do wachlowania podczas koncertów, nie podpadają pod oznakę „długowłosych wrażliwców", lecz „wentylację".) Niezależny artysta, może nawet nieco myślący, a więc intelektualista – toż to marzenie każdej muzy, męczenniczki utuczonej na kiczowatych opowieściach o „artyście przeklętym", niezrozumianym, samotnym i potrzebującym pocieszenia.

Banderas odgrywa taką rólkę na początku *Desperado*, gdy wyśpiewuje swoją piosenkę wędrownych grajków *mariachi*: „Nie potrzebuję kobiet, wystarczy

mi, że gram w świetle księżyca z kumplami, ajajaj"
i tym podobne bzdury („ajajaj"), bo wiadomo, że zaraz
będzie potrzebował Salmy Hayek. O jej powołaniu pielęgniarki i kochanki marzą wszystkie kandydatki na
muzy zbuntowanych, niezależnych grajków, malarzy
i poetów. Powinnam skrócić ten wywód o długich włosach: mężczyźni lubią długowłose anielice. Mężczyźni
stwarzają nasze wyobrażenia o tym, co podniecające.
Wystarczy popatrzeć na filmy erotyczne, fotki z „Play-
boya" czy muzealne igraszki Rubensa, Watteau. Dzięki
nim uczymy się, co jest seksowne. Czy nas to podnieca?
Nie trzeba być lesbijką, by docenić urok roznegliżowa-
nej panienki. Kocham mężczyzn, ale często patrzę na
kobiety oczyma facetów, poprzez ich obiektyw, kom-
pozycję obrazu. Dlatego długie włosy Banderasa są sid-
łami na łagodną, nic nie podejrzewającą kobiecość:
„a) Jestem długowłosy, to znaczy kobieco wrażliwy, nie
jak ci krótkowłosi, szorstcy brutale. Zrozumiesz mnie,
a ja ciebie, przecież dla kobiet najważniejsze jest «zrozu-
mienie», na tym polega miłość. b) Jestem wspaniałym,
muskularnym samcem, ale jest we mnie także perwer-
syjny urok, o którym podświadomie marzysz. Moje
długie, kobiece włosy i szerokie, męskie ramiona, czy
nie pragniesz pełni miłości, być zarazem nim i nią?"

    3. Gdybyż Banderas wyszeptał do nas te sło-
wa... Tym swoim gardłowym, twardym „rrrr" (*rrroman-
tico*), drażniącym nasze uszy i inne sfery erogenne, oraz

równie hiszpańskim, dziecinnie miękkim „ch" (*mucha-cho*). Nieżyczliwi boskiemu Antonio uważają, że Holly-wood potrzebował latynoskiego kochanka, bo niebawem większość Amerykanów będzie mówić lepiej po hiszpańsku niż po angielsku. Znaczyłoby to, że na jego miejscu mógłby się znaleźć każdy inny portorykański amant. O, ślepi na urok Banderasa, o, głusi na wibracje jego głosu, docierające do najgłębszych zakamarków kobiecej duszy! Męski tembr powstaje z mutacji, gdy chłopiec zamienia się w młodzieńca. Jest sygnałem, że mężczyzna dojrzał do miłości.

Może to zbieg okoliczności, a może wskazówka losu, że bandera znaczy flaga, sztandar, i nasz Antonio, sztandarowy mężczyzna, kojarzy się we francuskim „języku miłości" ze słowem *bander*, co w slangu oznacza erekcję. Co zgadzałoby się z obiegowym stwierdzeniem, że przystojny mężczyzna (Antek jest najprzystojniejszy) to taki, któremu przy nas staje – humoru oczywiście. Jeżeli już dotknęłyśmy tego tematu, co prawda zaledwie się o niego ocierając, musimy przyznać, że tak naprawdę nasze obcowanie z Banderasem jest podziwianiem zjawy. Pojawia się na ekranie i znika. Ale czyż mężczyzna nie jest także złudzeniem? Gdy się na niego patrzy, dotyka – rośnie, pręży się, by za chwilę stać się znowu miękki i mały.

4. Hiszpanka – grypa, hiszpańskie – buciki inkwizycji (narzędzie tortur), dość zabójcze skojarze-

nia. Hiszpański kochanek – zabójczo przystojny Antonio. Wiemy o nim niemal wszystko: ile waży, ile mierzy. Ale o tak intymnym szczególe z jego życia, jak zapach, nie można się dowiedzieć z gazet. Kiedy był *W łóżku z Madonną*, uwiódł ją aromatem swych supermęskich hormonów, bo jak inaczej wytłumaczyć zaloty Madonny, starającej się o niego na wzór agresywnych samiczek, i to w czasach, gdy był jeszcze monogamistą?

Teresa Seda pracowała kilka lat temu na Broadwayu, obszywając hollywoodzkie gwiazdy. I pewnego dnia w jej pracowni zjawił się ON. Zmierzyła go, dotykała, projektując koszulę do *Mambo King* Teresko, wbijaj we mnie szpilki, drzyj ze mnie szmatki, projektuj, co chcesz, tylko powiedz, jaki on był, co mówił, jak pachniał. Teresa nie zwróciła na niego zbytniej uwagi. Mówił jakieś dowcipy, no, taki zwyczajny, prosty chłopak, ale trzeba przyznać, że nieziemsko przystojny. Nie był jeszcze gwiazdą i, według Sedy, nie wydzielał zniewalających zapachów. Wącham więc malagę, na pewno kiedyś przesiąkł jej ciężkim, słodkim aromatem, skoro w Maladze się urodził.

5. Mówią, że ma niskie czółko, co świadczy o niskim ilorazie inteligencji. Znowu oszczerstwo, bowiem pasją Banderasa jest astrofizyka, wymagająca przecież nie lada wiedzy i logiki. W jednym z wywiadów zwierzył się, że zachwyca go prędkość, z jaką w kos-

mosie oddalają się od siebie ciała. Czyżby w ten sposób tłumaczył swój rozwód? Entropia miłości, proszę wysokiego sądu. On – supergwiazda – z prędkością światła został przyciągnięty przez nową konstelację. Melanie Griffith wydaje się bardziej korpulentna od jego pierwszej żony i wyższa od neoblondynki Madonny. Przyciąga go zatem o wiele mocniej ponętną masą, zgodnie z prawem Newtona. Prostota i elegancja równań matematycznych rządzi więc nie tylko wszechświatem, ale i życiem naszego idola. Nie ma jak naturalna harmonia, po prostu ekumenizm Princeton z Hollywoodem.

Prosty i elegancki jest także strój Antonio Banderasa. Występuje najczęściej w śnieżnobiałej koszuli i czarnym fraczku, jak w *Od zmierzchu do świtu*. W *Desperado* natomiast – praktycznie, bo nie wchłaniająca plam krwi czarna kurtka przykrywa białą koszulę. W *Wywiadzie z wampirem* ten sam zestaw kolorów, podkreślający niesamowity błysk oczu, biel zębów i czerń włosów, czyni go królem dekadencji. Czystość bieli i mroczna czerń są podwójnym przekazem (patrz punkt 2.): „Jestem niewinny i cholernie seksowny".

Nasze babki szalały za pięknym Rudolfem Valentino, kochały się w nim, zrzucając przestarzałe gorsety. Każda epoka ma swój gorset krępujący ruch myśli, ruchy ciała. W naszych czasach jest nim prezerwatywa. Ludzie stracili na siebie odporność. Bezpieczna miłość poprzez ekran przypomina bezpieczną komunię (wspólnotę) ciał. Idol, bóstwo może kochać wiele kobiet, a że jest tak wspaniały, należy się nim dzielić, moje panie. Dla każdej z nas starczy biletów i marzeń.

„Elle" 1997, nr 35 (sierpień)

Cywilizacja socjalistyczna

"Za Chiny Ludowe" nie było kiedyś toastem, lecz stwierdzeniem, że czegoś się nie rozumie albo nigdy nie zrobi. Chiny Ludowe powoli przemijają, a za oknem pekińskiego hotelu, gdzie próbuję je zrozumieć, powiewa jeszcze czerwony sztandar przypominający zużytą czerwień podpasek minionego okresu. W hotelowym barze pobrzękiwanie szkła i bajerów-biperów. Prawie wszyscy mają telefony komórkowe albo pagery, więc ciągle słychać "bip, bip", jakby puls Chińczyków był elektroniczny. Przy stoliku kilku dżentelmenów kończy *business-lunch*. Co chwila ujmują w ręce obwieszone złotymi bransoletkami słuchawki swych telefonów. Towarzysząca im *business-woman* (po prostu *woman?*) w gustownym garniturze, popijająca wytwornego drinka, ma katar. Głośne wycieranie nosa jest w Chinach chamstwem, dlatego dama dłubie w nosie aż po nasady drogocennych obrączek. W hotelowych pokojach bywa podobnie - niby wszystko "po zachodniemu", ale zdarzają się błędy: zamiast *don't smoke* prosi się pozłacanymi literami o *don't smog*. Nocą same włączają się telewizory, gaśnie klimatyzacja. Niełatwo zrozumieć, dlaczego. Czyżby różnice kulturowe?

Sześćdziesiąt procent starej stolicy wyburzono, a malownicze hutongi (zaułki) otynkowane jednakową szarością przypominają ludzi wciśniętych w identyczne mundurki Mao. Pekińskie wieżowce mają za wzór singapurskie biurowce, co wygląda na lądowisko kosmitów pośrodku Azji. Chińskie gmachy importowane z wyobraźni Spielberga są nie tylko symbolem nowobogactwa. Służą także biedakom, dając im cień w upalne, kontynentalne lato. W Chinach bogaci zawsze opiekowali się biednymi, a cesarz rolnikami – zgodnie z tradycją gospodarki azjatyckiej. Chińscy nędzarze (jedna czwarta ludności żyje na skraju ubóstwa) nie zrobią rewolucji. Rewolucja w Państwie Środka jest przywróceniem dawnego porządku, powrotem do Złotego Wieku, o którym marzył największy ze skośnookich mędrców – Konfucjusz. Miliony ludzkich mikrobów rozniecało rewolucyjną gorączkę, by przywrócić zdrowie całemu organizmowi – państwu. Nie po to obalono kilka dynastii, by unowocześnić kraj, lecz by wróciła przeszłość. Chińczycy nie pragną teraz rewolucji ani przeszłości. Chcą telewizorów, samochodów, supermarketów, w których niby po muzeum oprowadza sklepowy przewodnik, przepasany czerwono-złotą szarfą. Można już wiele powiedzieć (wolność słowa), a jeszcze więcej chcieć (wolny rynek). Jeśli Zachód mówi coś o prawach człowieka, to raczej szeptem równie cichym, jak szelest pieniędzy dawanych Nowym Chinom. *Odwaga zostania samemu* – wydana na Zachodzie książka Wei Jingshenga, od kilkunastu lat chińskiego więźnia politycznego – jest zbiorem listów do władz więzienia (z prośbą o papier, ołówek czy możliwość hodowania królików), przyjaciół (narzeczonej Tybetanki, którą poznał, gdy był żołnierzem w Tybecie) i przywódców partyjnych (z propozycjami demokracji). Gdyby Wei żył nieco bardziej na zachód, byłby równie znany jak Sacharow albo Sołżenicyn. Z zawodu elektryk, tak jak Wałęsa (ludzie pod napięciem?), nie dostanie Nagrody Nobla. Co najwyżej przysługuje mu odrobina współczucia i zdziwienie zachodnich dziennikarzy, piszących recenzje z jego więziennych listów. „Najtrudniej podczas lektury tej książki zrozumieć, że władze chińskie stać na odizolowanie od narodu tak czystego i szlachetnego patrioty" (szwedzka gazeta „Dagens Nyheter"). No: za Chiny Ludowe nie zrozumiesz. Podobnie jak wypowiedzi dla „Wprost" Dalajlamy, niespodziewanie godzącego się z ekonomiczną, polityczną zależnością Tybetu od Chin. Dalajlama ma na pewno rację. Nowoczesne Chiny (a więc i Tybet) z ideologią buddyjską zamiast komunistycznej mają szanse na eksportowe powodzenie Japonii. Na razie duchowość Chin wyraża się po angielsku w olbrzymim haśle na placu Tian'anmen: „Poświęćmy nasze wysiłki zbudowaniu duchowo (lub uduchowionej) socjalistycznej cywilizacji" - nie wiem tylko, czy hasło źle przetłumaczono na angielski, podobnie jak angielskie napisy w hotelach, czy znowu nie rozumiem Chin. A może lepiej ich nie rozumieć i zdać się na mądrość Dalajlamy lub interesowną intuicję biznesmenów? Warto wtedy zaproponować kandydaturę Wei Jingshenga do Nagrody Nobla. Nie w dziedzinie pokoju, lecz poezji - za paradoksalne, buddyjskie haiku jego listów zza krat.

„Wprost" 1997, nr 47

Seks z głową

1. *A Polszka, Szir?* – klęcząc pyta Napoleona pani Walewska w trakcie miłości francuskiej. Ten żart pokazuje, jakie stosunki z Polską mają inne kraje. Ale nie ma być patriotycznie o trąbie słonia czy całym słoniu a sprawie polskiej, lecz o seksie oralnym. Po polsku oralny kojarzy się niestety z oraniem, ciężką pracą rolną. Do trudów rolników dołączają w slangu hutnicy – „ciągnąć druta".

Anglicy też nie mają łatwo – ich *blow job* to językowa robota – *job*. Może się wydawać, że słowne skojarzenia nie mają wpływu na rozwój seksualności. Niestety, pewne sformułowania już w dzieciństwie zaszczepiają podświadomości odruchy gramatyczno-erotyczne. „Jaka śliczna dziewczynka. Ma taką słodką buzię" – słyszy kilkuletnia urodziwa Polka. Chwilę później, gdy próbuje zrobić sobie przyjemność, ssąc (wiadomo, że dziewczynki rozwijają się szybciej od chłopców, nie tylko oralnie) znalezionego na ulicy lizaka albo klocek lego, słyszy wrzask: „Wypluj to natychmiast! Nie bierz do buzi tych brudnych świństw!".

Dziewczynka, panna, młoda kobieta przeświadczona, że do ładnej buzi nie pasują świństwa i nie weźmie bez obrzydzenia w usta czegoś, co nawet tak wysublimowany pisarz jak Nabokov porównuje do przenośnego męskiego zoo: „Portret naturalnych rozmiarów okazał się nie w pełni udany lub raczej zawierał pewien element frywolności nieobcy lustrom i średniowiecznym obrazom przedstawiającym bestie. (...) Na wierzchołku owego trójkąta biel brzucha uwydatniała, w przerażającym *repousse*, z niedostrzeżoną nigdy przedtem brzydotą, (...) symetryczną bryłę atrybutów zwierzęcych, trąbę słoniową, dwa bliźniacze jeże morskie i małego goryla, który przywarł do mojego podbrzusza plecami do publiczności". Nabokov jest poetą prozy – życia. Rozsądna, acz niedoświadczona panna dojrzy, zamiast spragnionych pieszczot zwierzaków, wypustkę przypominającą przepuklinę. Niebawem też się dowie, że przejściowy tężec tego członka zwany jest potocznie erekcją.

Najłatwiej wywołać erekcję, pobudzając męski egocentryzm. Cierpi on na rozległe przerzuty: kiedy podziwia się faceta, zaspokaja jego zachcianki – rośnie mu ego oraz męskość. Szczytuje wyprężona, napompowana próżność. I właśnie w chwili, gdy stężenie erotyzmu jest tak duże, że staje nawet czas, rozsądna dziewczyna powinna podjąć decyzję: seks oralny czy vaginalny, analny, a może w ucho?

2. W czasach gdy prawdziwych mężczyzn jest jak na lekarstwo, kobiety szybciej dojrzewają i porzucając dziecinną niechęć do brania w buzię, zażywają facetów nie tylko dopochwowo, lecz także doustnie. Męskożerna pani ma szansę trafić na odżywczego typa. Sperman tryska zdrowiem - hormonami i mikroelementami. Większość kobiet tuż przed menstruacją odczuwa wzmożony popęd spowodowany burzą hormonalną. Uspokaja ją męski testosteron. Testowanie się facetów - który szybciej i więcej - wynika chyba z nadmiaru tego hormonu. Dlatego jeszcze jedną zaletą seksu oralnego dla dam jest planowanie finału. Na przedwczesny wytrysk cierpią panowie, ale z jego powodu cierpią także panie. Jest to więc schorzenie przenoszone drogą płciową. Co prawda nieśmiertelne, lecz gdyby takiemu pospieszalskiemu się zmarło, powinien dostać nagrobek ozdobiony epitafium: „Znowu się pospieszył".

Uprzedzając wypłynięcie szampańskich bąbelków szczęścia, można przejąć sprawę w swoje ręce i usta. Z wrodzonym kobietom rytmem oraz smakiem (smakoszki wiedzą, że męskie podniecenie, zanim wytryśnie, skrapla się różnymi aromatami) należy wyczuć prędkość, z jaką nadchodzi spełnienie. Nie potrzeba do tego żadnej filozofii. Seks (oralny) to nie teoria nieoznaczoności Heisenberga, gdzie trudno ocenić jednocześnie położenie i prędkość interesującego nas obiektu. Język, palce są najczulszymi narządami dotyku, potrafiącymi rozróżnić milimetrowe różnice. Penis, nastawiony wyłącznie na rozkosz, pomija takie niuanse. Pochlebia się mu, nazywając jego poczynania „penetracją", oznaczającą badanie i pionierskie odkrycia. W swej drodze ku przyjemności jest przecież „ślepy".

Natomiast vagina (którą powinno się pisać vaGina, ze względu na ważność znajdującego się w niej punktu G) pozbawiona jest wewnętrznego zmysłu orientacji. Trudno w niej odnaleźć podczas stosunku erotyczny guziczek punktu G, wyzwalający orgazm. Albo się go przypadkowo naciśnie i uruchomi rozkosz, albo członek zaledwie się o niego otrze i chybi celu – wzajemnej radości seksu partnerskiego. Tantra (rodzaj wschodniej magii erotycznej) zaleca w takich przypadkach stosunek oralny. Bogini (kobieta uprawiająca tantrę) zatyka palcem odbyt boga (mężczyzny) i ustami czyni swoją powinność, zaś bóg, pieszcząc ustami zewnętrzne atrybuty bogini, jednym palcem zakrywa jej odbyt, drugim penetruje joni (vaginę), odnajdując czuły punkt. Taki orgazm vaginalno-łechtaczkowy wydaje się bardziej erotyczny (z punktu widzenia boGini) niż zajmowanie się na klęczkach klejnotami boga. Robienie mu łaski – to znaczy „laski" – przypomina w tradycyjnym, zachodnim wykonaniu wyrafinowane usługi higieniczno-konserwatorskie. Specjalistka od figur, pomagając sobie ustami, czyści fragmenty rzeźby męskiego ciała.

3. Mając w tej pozycji szczegóły anatomii przed oczyma, można puścić w ruch wyobraźnię (by nadążała za ruchami głowy) – wymyślić bajkę o ślepym siusiaku: „W dawnych, dawnych czasach miodem i mlekiem płynących siusiak miał na czubku oko. Podziwiał nim młodą, uśmiechniętą cipcię. Mijały lata, cipka postarzała się, zamieniając w starą cipę. Wypadły jej zęby, pomarszczyła się i zbrzydła. Zrozpaczony siusiak nie chciał na to patrzeć. Wolał oślepnąć. W miejscu, gdzie miał oko, została mu dziurka, z której na pamiątkę dawnych, dobrych czasów mlekiem i miodem płynących wytryskują mu, zamiast łez, kropelki barwy mleka albo przezroczyste, żółtomiodowe strugi."

4. Skoro seks oralny jest seksem z głową, warto się zastanowić, dlaczego pierwsze, co wystawiamy na ten świat, to właśnie głowa.

Być może, rodząc się, przyjmujemy tę pozycję instynktownie, by mieć czas się rozejrzeć, zanim „damy dupy"? Dorastając i poznając reguły świata, zadawałam, jak każdy, podstawowe pytania. Odpowiedziano mi, że dzieci przynosi się ze szpitala. Tajemnicę różnicy płci wytłumaczono, posługując się gumową lalką i wstępną teorią oralności: „Kiedy rodzi się dzidziuś, jest podobny do łysej, gumowej laleczki. Pani pielęgniarka pyta rodziców, czy chcą synka, czy córkę. Jeżeli synka, to całuje się go między nóżki i wyciąga fiutka. Dziewczynce robi się językiem dziurkę".

Ta oralna teoria seksu poza tym, że usposabia przychylnie do skojarzeń głowa-seks, jest dobra jak każda inna. Nie wiemy przecież dokładnie, dlaczego z materiału genetycznego skrojono nam akurat męski lub żeński garnitur chromosomów. Małe przypadkowe przesunięcie w zapisie genetycznym i zamiast geniusza rodzi się zboczeniec myślący genitaliami.

W języku polskim przypadek chyba sprawił, że jedyne dwa słowa zaczynające się od *geni* to geniusz i genitalia. Czy mają coś wspólnego? Geniusz oralny (na przykład pisarstwa) potrafi używać mistrzowsko języka jak we francuskich pocałunkach. Nieudacznicy zarzynają temat po uprzednim sadystycznym, ponurym jego rżnięciu. Nie mam więc nic przeciwko wysublimowanej oralności, dającej przyjemność obcowania z geniuszem sztuki, również seksualnej. Ten tekst piszę także dlatego, by móc coś włożyć do ust, kawałek chleba, za który zapłaci mi PLAYBOY.

„Playboy" 1998, nr 8

Demokracja trącona myszką

Jeśli w Szwecji ktoś będzie fetować sylwestra z prostytutką i opłaci ją do białego rana, ryzykuje wyrok. Od Nowego Roku klienci pań lekkich obyczajów będą karani z paragrafu „poniżanie kobiet". Wprowadzenie tego prawa jest zasługą szwedzkich feministek. Zapewne ich następnym zwycięstwem będzie zakazanie pornografii. W kraju znanym od lat 60. ze swobód obyczajowych nowy purytanizm wprowadzają nie pastorzy, lecz kobiety wyzwolone z więzów tradycji i przesądów. Prostytutki nie czytują Simone de Beauvoir i literatury feministycznej. Znają życie i uważają, że nowe prawo zwiększy przestępczość seksualną. One, „nawiązując stosunki" ze swymi klientami, odciążają społeczeństwo od gwałtów i zboczeń, lęgnących się w głowach sfrustrowanych mężczyzn. Profesjonalistki i tak nie zrezygnują z najstarszego zawodu świata, natomiast amatorki pozbawi się szansy na zmianę profesji, likwidując organizacje, pomagające upadłym kobietom. W Szwecji jest duże bezrobocie, lecz opieka socjalna każdemu zapewnia przyzwoite życie – twierdzą zgodnie z prawdą feministki. Nikt nie musi sprzedawać swych wdzięków (chyba że postanowił robić karierę w show--businessie). Kupowanie „ciała" prostytutki jest kupowaniem seksu. Redukowaniem kobiety do roli niewolnika seksualnego. Niewolnictwo jest zakazane, handlarzy żywym towarem zamyka się za kratkami. Wynika z tego wniosek, a z niego prawo: pieniądze za seks – nie, wolna miłość – tak.

Podobne poglądy seksualne miał Marks, twierdzący, że małżeństwo to zalegalizowana prostytucja. Portrety Marksa oraz Lenina nadal wiszą w biurach szwedzkiej partii komunistycznej. Co ciekawego do powiedzenia miał Marks – wiadomo, Lenin zaś „powiedział wiele ważnych rzeczy w swoim czasie" – broni konterfektu patrona przewodnicząca partii Gudrun Schyman. Komuniści po wyborach (w których zdobyli trzynaście procent głosów) stali się trzecią siłą w parlamencie (po socjaldemokratach i konserwatystach). Schyman zyskała sympatię nie tylko odezwami i obietnicami sprawiedliwszej przyszłości, lecz także swoim alkoholizmem. Ludzką słabością, prześladującą nie tylko komunistów (chociaż poprzedni przewodniczący również podtrzymywał moskiewsko-wódczane tradycje). Trzeźwiejsza frakcja partii próbowała pół roku temu zmusić Schyman do odejścia. Towarzyszka złożyła publiczną samokrytykę i obietnicę poprawy. Poddała się terapii, zwyciężyła chorobę i abstynencką konkurencję. Przed wyborami, kiedy wszelkie chwyty są dozwolone, ujawniono, że na prowincji członkowie innej partii zmajstrowali sobie w miejskiej pralni bimbrownię. Nie przysporzyło im to jednak popularności. Co innego nałóg wymykający się spod kontroli, a co innego wyspekulowane łamanie prawa.

W tym roku Szwedzi – tak zawsze lojalni wobec władzy i szanujący swoją demokrację – nie mieli ochoty głosować. Imponująca dotychczasowa frekwencja, wynosząca ponad 90 procent, to przeszłość. Teraz doszła do głosu powszechna niechęć do polityków, ich pustych obietnic. Afera demokraty Clintona zepchnęła ludzi władzy z postumentu w bagienko trywialnych słabostek.

„Nie głosujesz, bo twój głos niczego nie zmieni, nic nie znaczy?" – pytałam szwedzkich znajomych. „Przeciwnie, nie głosuję, bo mój głos jest zbyt cenny, żebym go marnował dla manipulatorów i demagogów". Nie zmarnował okazji szef neonazistowskiego Braterstwa Aryjskiego i wybrał... wolność. Pod pretekstem głosowania wykorzystał przepustkę, by uciec z zakładu psychiatrycznego. Wrócił kilka dni później, prawdopodobnie załamany sukcesem lewicy.

Po wyborach dyskutuje się nie tylko o nowym, niepewnym rządzie, ale i nowej polityczno-miłosnej aferze. Minister finansów zakochał się w pani minister oświaty. Romans w pracy mógł wpłynąć na ich zawodowe decyzje. Komisja sprawdzi, czy oświata nie dostała hojną ręką zbyt dużych albo zbyt małych dotacji. Przecież żonaty minister mógł poczuć wyrzuty sumienia lub zatuszować swe uczucia, nie dofinansowując resortu kochanki. A co by było, gdyby pokochał śpiewaczkę operową (zawsze niedoinwestowany teatr) albo sarenkę (zdychające zoo)? Prasa szwedzka – podobnie jak amerykańska w sprawie Clintona – doszukuje się zgubnych wpływów miłości na politykę. Nikt nie zastanawia się, jakie głupoty są w stanie popełnić politycy miotani uczuciem nienawiści.

Szwedów zadowoliłaby chyba władza nowocześniejsza od tradycyjnej demokracji z jej partyjnymi liderami. Skoro politycy mają serca i narządy (których potrzeb nie potrafią dyskretnie zaspokajać, co wpływa na światowe giełdy), to może lepsza okazałaby się władza ludzi bez serc? Zwykłych, anonimowych technokratów podliczających w Brukseli głosy oddawane przez obywateli za przyciśnięciem komputerowej myszki (myszki, nie klawisza, bo jest ona szwedzkim wynalazkiem). Premierów, prezydentów, ministrów nie oddziela już od równie wykształconych i kompetentnych mas prestiż władzy. Są zwykłymi, często bezradnymi ludźmi. Dlaczego więc głosować na nich zamiast z nimi?

„Wprost" 1998, nr 43

Postmodernistyczna miłość

Miłość jest jednym z niewielu tego rodzaju ulotnych wynalazków ludzkości, na jaki nie wymyślono jeszcze konserwantów. Jeżeli przyjąć, że romansową namiętność pani do pana (oraz wzajemnie) odkryli i opisali średniowieczni trubadurzy, to romansujemy w Europie od siedmiuset lat. Wcześniej Europejczycy na zachód od Wisły (trochę Celtów, Słowian i Germanów, wymieszanych z tubylcami) uprawiali równie gorliwie, co ziemię i rozboje, stosunki feudalne: małżeńskie, ale nie miłosne. Nie ma zbrodni doskonałej, trudno się więc dziwić, że nie ma także małżeństwa doskonałego, chociaż bywają udane. Dlatego przykro, gdy małżeństwo się kończy. Jeszcze smutniej (patrz melodramaty), gdy nieuchronnie kończy się romans: uczucia ulatniają się lub zgodnie z prawem fizyczno-moralnym sprzęgają parę w małżeństwo. Małżeństwo – „pięknie, pięknie, dobrze, dobrze", jak mówią podczas ceremonii zaślubin Tasadajowie (plemię z epoki kamienia, odkryte dwadzieścia lat temu na wyspach Indonezji), zgromadzeni wokół młodej pary. Ta krótka formułka, powtarzana niezmiennie prawdopodobnie od trzydziestu tysięcy lat, zawiera opis, ocenę sytuacji, w jakiej znaleźli się romansujący, i akceptację ich uczuć przez współplemieńców. Plemię nad Wisłą także powtarza: „pięknie, k..., pięknie", lecz w nieco innych sytuacjach. Podczas ślubu klepie skomplikowane formułki, podpisuje urzędowy cyrograf. Cyrograf, bo wycofanie się z małżeńskiego układu pachnie siarką i średniowieczną torturą – procedurą, przeprowadzaną bezlitośnie w całej niemal współczesnej Europie.

Rozwód kosztuje nie tylko zdrowie, ale i pokaźną sumkę wydaną na adwokata, przekonującego sąd o rozpadzie związku. Dlaczego urzędy wtrącają się w niezrozumiałe dla nich, intymne uczucia? Istnieje w Europie kraj, gdzie poddani administracji, czyli obywatele, udzielają sobie sami rozwodu. Szwedzi, nie mający dzieci i komplikacji majątkowych, wysyłają do urzędu list zawiadamiający, że nie będą płacić wspólnie podatków. W przełożeniu na wspólny język oznacza to: „Nie jesteśmy już parą". Uczucia wyparowały, małżeństwo także. Państwo nie ciąga nieszczęśników po sądach. Nie wysyła im nawet okolicznościowej formułki, jaką wypowiadają zapewne w takich przypadkach niecywilizowani Tasadajowie: „Niedobrze, niedobrze, niepięknie, niepięknie". W Szwecji jest po prostu: „Normalnie, normalnie". Sąd nie zapuszcza się tu w gąszcz ludzkich uczuć przypominający niekiedy dżunglę. Zamiast wyrąbywać przez nią drogę maczetą prawa, pozwala każdemu rozwijać się w najwygodniejszej niszy ekologiczno-uczuciowej. Własne nazwy mają szwedzkie małżeństwa, schodzące się tylko na weekend, mieszkające razem, nie mieszkające razem, bywające ze sobą podczas wakacji, żyjące razem mimo rozwodu. Wśród tej subtelności gatunkowych rozróżnień związków, godnej przyrodniczego katalogu Linneusza (także Szweda), bez problemu pomieściłoby się nieszablonowe małżeństwo Clintonów. Na zdrowy rozum Hillary powinna spakować walizki i trzasnąć drzwiami Białego Domu. Romanse męża nie wzbudzają jednak jej zazdrości, lecz paranoję prawicowego spisku, chcącego pozbawić go władzy. Być może tak reagują ambitne i zdradzane żony polityków. Co się dziwić wyborom zakochanych kobiet, skoro mocarstwa rządzące światem wybrały na prezydentów seksoholika i alkoholika? Skacowany Jelcyn roztrzęsioną ręką może przycisnąć guzik wysadzający nas w powietrze. Clinton, jeśli odczuwa moralnego kaca, kupi pewnie Clintonowej kwiaty, czekoladki, diamenty. Z dwojga złego wolę Clintonów. Za dziesięć, dwadzieścia lat ludzie będą z sentymentem opowiadać o prezydencie, który palił trawę, zdezerterował z wojny, grał na saksofonie i romansował. Do *sex & drugs & rock and roll* dodał politykę światową. Usprawiedliwiając swoje erotyczne upodobania, powoływał się na przedpotopową Biblię. Nie potępia ona seksu oralnego, bo podczas jej dyktowania (parę tysięcy lat temu) Panu Bogu nie przyszło do głowy, że seks można robić z głową. Łebski Clinton, przywołując na świadka swojej niewinności Biblię, wiedział, że jest w zgodzie ze świętym duchem czasów. Żyjemy bowiem w epoce postmodernizmu, więc wszystko zależy od kontekstu. Romans pozamałżeński można nazwać cudzołóstwem albo w ogóle nie uznać go za zdradę. Jak para Bonnie i Clyde, małżeństwo Hillary i Billa przejdzie do legendy. Będzie się o nich śpiewać ballady: „Postmodernizm, k..., postmodernizm".

Abrakadabra

Madonna wpakowała się w kabałę. Nie dlatego że najchętniej, bo najtaniej, *like a virgin*, zaszłaby w kolejną ciążę. (Latynoski tatuś jej dziecka źle skalkulował swoje ojcostwo – gdyby za każdy ofiarowany piosenkarce plemnik zażądał dolara, byłby milionerem, a nie żigolakiem-inseminatorem). Kabała Madonny jest prawdziwa, nowojorska, z centrum studiów judaistycznych na Manhattanie. Prowadzi je rabin Abraham Hardoon dla eleganckiego światka gwiazd i biznesu. Nie dziwi w tym towarzystwie Barbra Streisand, potrafiąca odróżnić micwę od mycki już choćby z tego powodu, że grała w *Yentl* chasydzkiego urwisa. Jednak gwałtowne zainteresowanie kabałą Elizabeth Taylor, Laury Dern czy Madonny oznacza hollywoodzką (czytaj: światową) modę na tajemnicze znaczki hebrajskiego alfabetu. Po fali buddyzmu, gdy każdy przepracowany facet, poluźniający krawat i zdejmujący w biurze buty, by posiedzieć chwilę wygodnie, „uprawiał zen", nadeszła epoka kabały. W sklepach z ezoterycznym osprzętem oprócz kadzidełek, kryształowych kul i podręczników do nieśmiertelności (duchowej oczywiście), można kupić talię kart tarota. Każdej z tych kart odpowiada jedna z 22 liter alfabetu hebrajskiego. Jest to więc „elementarz", sylabizowanie pierwszych słów złożonych z karcianych obrazków. Można poprzestać na zabawie i używać tarota tylko do wróżenia albo też zacząć od niego podróż ku prawdziwej kabale, polegającej na kombinacji liter (kart) i słów.

W USA książki o kabale w wersji popularnej, kojarzącej się bardziej z pop niż z klasyką, są bestsellerami. *The Jew in the Lotus* czy *Stalking Elijah Adventures with Today's Jewish Mystical Masters* autorstwa Kamentza były w ostatnich miesiącach księgarskimi przebojami. Najważniejsze dzieło, swego rodzaju kabalistyczna biblia – średniowieczny *Zohar* (Księga Blasku) – sprzedaje się bez problemu w cenie 345 dolarów.

Sześćdziesięcioośmioletni brooklyńczyk, rabin Philip Berg, duchowy przywódca Kabbalah Learning Center, kształci dziesięć tysięcy uczniów w ośmiu krajach. Za podstawę jego nauk służy trzynastowieczny, napisany w Katalonii *Zohar*. Studiujący cały dzień tę wielotomową księgę mają jeden problem: jej oryginał jest po aramejsku i hebrajsku. Świeżo nawróceni na kabałę nie mieli jeszcze dość czasu, by opanować te starożytne języki. Ważne są jednak chęci: według kabalistów, jeśli całe życie powtarza się tylko jedno zdanie z Biblii, nawet najmniej znaczące, to i tak można zasłużyć na raj. Tyle, że będzie się miało prawdopodobnie problem ze zrozumieniem obowiązującego świętego języka w niebiosach pieśni i ogłoszeń parafialnych. O tym, jak ważna jest znajomość hebrajskiego w studiowaniu nie tylko ksiąg kabalistycznych, ale również Biblii, niech świadczy fakt, że na temat pierwszego zdania Starego Testamentu napisano tomy komentarzy, bowiem już pierwsze wyrażenie: „Na początku", stwarza możliwość wielu interpretacji. Zawierają się w nim słowa: syn, głowa, podstawa, dom. Zajmować się mistyką żydowską, bo tym jest kabała (słowo to znaczy po hebrajsku „tradycja", „przekaz"), bez znajomości chociażby podstaw gramatyki hebrajskiej i alfabetu, to jak czytać o matematyce, nie wiedząc, jak wyglądają cyfry, dodawanie i odejmowanie. Moda jednak jest silniejsza od rozsądku, to znaczy nieco mistyczna. Przecież gdy na fali była medytacja transcendentalna i joga, wielu „praktykujących" wiedziało mniej więcej (być może z poprzedniego żywota), że w ludzkim ciele są jakieś czakry. Spośród siedmiu byli w stanie wymienić jedną położoną gdzieś w tyłku, a drugą na czubku głowy. Poza tym liczyły się wibracje, buddyjskie makatki i kadzidełka. Próbując sobie wyobrazić Elizabeth Taylor zgłębiającą tajniki kabalistycznych zaklęć z czasów Kleopatry, sądzę, że patrzy na nie równie rozumiejąco, co na skład najmodniejszego, wedle reklam cudotwórczego, kremu odmładzającego pełnego serum, liposomów, witamin, placenty. Czy hebrajska abrakadabra wiele się różni od ingrediencji kosmetycznego mazidła? Proszę wziąć pierwszy z brzegu słoik Estée-Lauder, Givenchy czy choćby ojczyźnianego Miraculum. Za egzotyczną nazwą takiego specjału: „Westchnienie mroku", „Woda seraju", „Oaza urody", kryje się alchemiczny skład: oxybenzonu, polimerów, spf-23, k-45 itp. I jak to czytać? Normalnie czy z hebrajska, od prawej do lewej? Oczywiście, piękne panie nie muszą wiedzieć, czym się mumifikują, chodzi o efekty. I właśnie w stosowaniu kabały, podobnie jak kosmetyków, chodzi o cudowne, magiczne efekty. Jeśli praski rabin stworzył Golema, to czemu nowojorski reformowany rabin z ośrodka New Age'owej kabalistyki nie miałby podawać recepty na młodość, urodę i powodzenie? Tym bardziej że wiara w cuda chirurgii plastycznej rozpadła się razem z twarzą Michaela Jacksona. Kiedy w najnowszym teledysku o upiorach Jackson zdziera maski, zastanawiamy się, czy pokazuje blizny, odpadający nos, czy charakteryzację. Na końcu rozsypuje się w garstkę gliny, rozwiewaną wiatrem. Kojarzy się to z końcem Golema – glinianego człowieka stworzonego przez ludzi. Gdy stał się zbyt nieposłuszny, rabin zmazał mu z czoła jedną z liter i Golem się rozsypał. Rezygnacja Jacksona z publicznych występów zbiega się w czasie z początkiem mody na kabałę. Paranoiczne byłoby przypuszczenie, że jedno ma związek z drugim, ale w kabale wszystko się ze wszystkim łączy – również kultura masowa z naukami tajemnymi. Sami prowadzący kursy tej nowoczesnej „przyspieszonej mistyki" stwierdzają, jak rabin David Cooper, że jedyną metodą spopularyzowania kabały jest przemycenie jej do kultury masowej.

Czym jest prawdziwa kabała, nie ta z popularyzatorskich samouczków? Kabała to mistyka żydowska i jak każda mistyka pretenduje do obcowania z boskością bez pośredników, „twarzą w twarz". Monoteistyczny Bóg Izraela został tak oczyszczony z wszelkich mitycznych wyobrażeń i wizerunków, że stał się równie abstrakcyjny co liczba do którejś potęgi. W II–III wieku n.e. nieznany mistyk żydowski napisał pierwsze kabalistyczne dzieło *Sefer Jecirah* (Księga Stworzenia). Znawcy wysuwają spośród najwybitniejszych uczonych tamtych czasów dziesięć kandydatur do autorstwa tego dzieła. Nieprawomyślność owej księgi w stosunku do judaizmu rabinicznego polegała na tym, że monoteistycznemu Bogu przypisano dziesięć emanacji (sefirotów), dzięki którym stwarza świat i się w nim objawia. Od dziesięciu sefirotów, traktowanych jako „części" niewyrażalnego, niepoznawalnego Boga, blisko do herezji politeizmu. *Sefer Jecirah* jest też wskazówką, jak używając liter hebrajskich i odpowiadających im cyfr (nauka o tym – to gematria) poznawać imiona Boga, aniołów, ukryte sensy zdarzeń. Dla kabalisty świat składa się nie z rzeczy i ich nazw, lecz z imion. Bóg objawił rzeczywistość w języku hebrajskim (akt stworzenia: „Niech będzie światłość", oraz nazwanie przez Adama istot żywych). Rzeczywistość jest więc mową, tekstem, a nie bełkotem absolutu. Znając język tej tajemnej mowy i prawdziwe (ukryte w kombinacji liter) imiona rzeczy, można przewidywać zdarzenia (tarot, astrologia), zmieniać ich szyk (magia). Oto fragment *Sefer Jecirah*, zwanego starożytnym kluczem kabały: „Atmosfera, umiarkowanie i ciało. Ziemia, zimno i żołądek. Niebo, gorąco i głowa – oto (litery) Alef, Mem, Szin. Saturn, Szabat, usta. Jowisz, pierwszy dzień tygodnia, prawe oko". Znając tego rodzaju formuły, kabaliści mogli działać (to znaczy pomagać białą magią lub szkodzić czarną), na przykład na oczy, intonując odpowiednim tonem literę Szin, w pierwszy dzień tygodnia, w godzinie panowania Jowisza, pod auspicjami Saturna, któremu w symbolice odpowiada prawe oko.

Kabała rozkwitła w XII-XIII wieku na południu Francji (ten sam niemal czas i miejsca, gdzie pojawił się ruch katarski) oraz w Hiszpanii. Trudno uwierzyć, że napisany wtedy w formie dialogów *Zohar* jest dziełem średniowiecza. Czyta się go nadal jak poetycką baśń, radę mędrca i zaproszenie do mistycznych podróży (wozem Ezechiela lub pieszo, na przełaj). W *Zoharze* po raz pierwszy mistyka żydowska używa tak otwarcie erotycznych metafor: od ogólnych zaleceń, przeznaczonych dla podróżujących mężczyzn („gdy tylko powrócisz do domu, połącz się w miłości ze swoją żoną"), po szczegółowe wyjaśnienia, że najlepszym dniem na stosunek mężczyzny z kobietą jest „najświętszy ze wszystkich dni tygodnia, sabat". Z *Zoharu* wynika, że tajemnicą kabały jest tajemnica seksu. Litery w hebrajskim są obdarzone życiem, nic więc dziwnego, że tak jak większość żywych stworzeń, są rozdzielnopłciowe. Skoro więc połączenie żeńskich i męskich liter tworzy imię Boga, to naturalne, że połączenie mężczyzny z kobietą jest też aktem boskim.

Jedna z emanacji bożych – czyli wspominanych już wcześniej w *Sefer Jecirah* sefirot – zwana Szechiną, czyli „Pomieszkaniem bożym", ma cechy typowo kobiece. Nazywana jest Matką, Królową, Córką i dzięki jej zjednoczeniu z Królem, Ojcem, Oblubieńcem dokonuje się przywrócenie mistycznej jedni. Teza dość rewolucyjna, jak na monoteistyczną religię, czczącą wszechmogącego, jedynego i samowystarczalnego Stwórcę. Co prawda, zanim Bóg Izraela stał się jego Jedynym Bogiem, przypisywano mu za współmałżonkę boginię sąsiednich ludów – Asztarte. Kabalistyczna Szechina, zmieniająca, jak wiele symboli, imię (raz jest Matką opłakującą Izrael, kiedy indziej ponętną Oblubienicą), zmienia także swój charakter. Z łagodnej, uległej i opiekuńczej kobiecości potrafi przemienić się w demona – niszczącą, rozpustną Lilith (pierwszą, mityczną żonę Adama).

Niemal w tym samym czasie, kiedy powstał *Zohar*, nauczał Abraham Abulafia, żydowski mistyk z Hiszpanii. Przekonany, że ma do spełnienia misję, w 1280 roku pojechał do Rzymu nawrócić na kabałę papieża. Został jednak uznany za czarownika i wrzucony do więzienia, gdzie czekał na nieprzychylny zapewne wyrok. Nie czekał ponoć bezczynnie. Powtarzał zaklęcia mające go uwolnić. Kilka dni później zmarł papież. Strażnicy, przekonani o skuteczności rytuałów więźnia, natychmiast go wypuścili, obawiając się magicznej zemsty.

Abulafia stworzył, czy też raczej „udostępnił" techniki kabały ekstatycznej. Porównuje się ją do jogi, gdyż polega na wypowiadaniu liter i imion bożych w połączeniu z odpowiednimi oddechami i rytuałami. Pobocznym efektem takiej ekstazy łączącej z Bogiem są „zjawiska nadprzyrodzone", które można wykorzystać do białej lub czarnej magii. O magicznej sile Abulafii krążyły legendy. Energie, jakie rozpętał recytowaniem kombinacji słów i liter, miały podobno rozpuścić jego ciało i przenieść je na subtelny poziom egzystencji. Co do bytowania Abulafii w innym świecie – trudno wyrokować. Natomiast faktem jest, że zaginął w „niewyjaśnionych okolicznościach" bez śladu na małej wysepce Morza Śródziemnego.

Żeby studiować kabałę, trzeba było spełnić wiele warunków: być w dojrzałym wieku, mieć za sobą gruntowne studia biblijne. Wiedza ta, zahaczająca o herezję, była traktowana przez ortodoksyjnych rabinów dość nieprzychylnie. Współcześni amerykańscy rabini, organizujący kursy kabały, nie są tradycjonalistami. Philip Berg, prowadzący Kabbalah Learning Center, uważa, iż jego misją jest wyprowadzenie kabały z getta i udostępnienie jej zwłaszcza kobietom, którym trudno znaleźć miejsce w patriarchalnych religiach monoteistycznych. Z Szechiną – żeńską stroną Boga – łatwiej utożsamiać się paniom szukającym sakralizacji swego seksu. Może dlatego matka Laury Dern zafundowała jej w prezencie ośmiotygodniowy kurs kabalistyczny. Miała nadzieję, że okaże się on skuteczniejszy od psychoterapeutów, na próżno próbujących uświadomić pannie Dern przyczynę problemów miłosnych, czyli – mówiąc innymi słowy – ustatkować dość awanturnicze życie erotyczne aktorki.

Naturalnie, z centrum kabalistycznego korzystają także mężczyźni. Rabin Berg przepisał hollywoodzkiemu producentowi zestaw ćwiczeń mających prowadzić do „odnowy biologicznej". Korzystanie z usług kabalistycznych przypomina szał entuzjazmu, jaki kilka lat temu panował na punkcie amerykańskiego endokrynologa hinduskiego pochodzenia, Deepaka Chopry. Główną orędowniczką cudownych przepisów

Chopry na długowieczność jest dotychczas Demi Moore. Pewnie i ona niebawem dołączy ekumeniczne rozważania o sefirotach do medytacji nad życiodajnym wpływem zielonego groszku.

Natomiast Madonna uprawiająca jogging w Central Parku, najchętniej w towarzystwie atrakcyjnego trenera, bez problemu zacznie praktykować jogę kabalistyczno-ekstatyczną, wymagającą dobrego głosu do wyśpiewania samogłosek oraz kondycji do wszystkich pokłonów i ćwiczeń. Madonna trenująca kabałę z przystojnym rabinem to cudowne połączenie pop-music z pop-mistyką. Poza tym nareszcie zmieni się scenografia jej teledysków. Przebite serce gorejące i cały zestaw bezczeszczonych dewocjonaliów na tle latynoskich kochanków już się trochę opatrzył. Symbolika kabalistyczna daje o wiele szersze pole do popisu. Przede wszystkim usprawiedliwia *image* Madonny--dziwki, bo sama Szechina ma podwójną osobowość. Madonna, rozdwojona między temperamentem a duszą czystą jak sukienka do pierwszej komunii (stwierdziła, że codziennie będzie czytać Biblię swej córce o świątobliwym imieniu Maria-Lourdes), odkryłaby w naukach o Szechinie *alter ego*.

Zanim polskie piosenkarki znajdą ukojenie w chasydzkich rytmach, warto sięgnąć po kilka książek o kabale. Jeśli nie zdążysz przeczytać żadnej z tych książek, a nowo poznana, modna dziewczyna będzie już praktykować kabałę z samouczka, nie trać głowy ani czasu. Musisz jej zaproponować wspólną praktykę nauk tajemnych. Zacznij od wywołania w niej poczucia odpowiedzialności (i oczywiście winy) za los waszych dzieci z nieprawego łoża. Według nauk kabalistycznych z męskiego nasienia utraconego w polucji lub przez czyn Onana rodzą się dzieci-demony.

Sezon na księżniczki

Wbrew temu, co napisał Rushdie po śmierci Diany, że królestwo pod koniec dwudziestego wieku to patetyczny przeżytek, świat nie może się obejść bez księżniczki, księcia i smoka. Smok, chociaż się unowocześnił, ma nadal wiele głów. Podsłuchuje i nagrywa rozmowy telefoniczne koronowanych kochanków, zamiast ziać i oślepiać ogniem, błyska fleszami.

Jak żyją księżniczki prześladowane przez bestię? A co robią inne przeznaczone na pożarcie postacie z bajek, na przykład Jaś i Małgosia? Pokazują Babie-Jadze nie palec, lecz patyczek. „Jeszcze jesteśmy za chudzi, żeby nas zjeść". Współczesne księżniczki, nie mogąc się ukryć przed spojrzeniami, pokazują, że są chudziutkie jak patyczek, ogłaszają swą chorobę: anoreksję. Szwedzka księżniczka, dwudziestoletnia Wiktoria, z pulpecika w koronie zmieniła się przez kilka miesięcy w szczupłą piękność o wymiarach modelki. Prasa natychmiast opublikowała setki jej zdjęć, mlaszcząc z apetytem tytułami: „Księżniczka wypiękniała". A ona chciała schudnąć, stać się przezroczysta i zniknąć. Kobiety marzą, by zostać księżniczką, księżniczki chcą być zwykłymi, „niewidzialnymi" kobietami.

Po śmierci Diany smok zainteresował się Wiktorią. Zdesperowana dziewczyna (przepraszam, księżniczka, przyszła królowa Szwecji) uciekła za ocean, do USA. Najpierw ogłoszono, że będzie tam studiować. Potem przyznano, że wyjechała do słynnej kliniki specjalizującej się w leczeniu anoreksji. Wiktoria na jakiś czas stanie się niewidzialna, niejadalna dla wścibskich oczu pożerających jej prywatne życie. Mniej więcej w tym samym czasie, kiedy zginęła Diana, Wiktoria stała się pełnoletnia i z nastolatki musiała się przeistoczyć w rozważną osobę, przyszłą królową, na którą czekają oficjalne obowiązki. Swoje dorosłe życie rozpoczęła od przysłuchiwania się obradom parlamentu. Z normalnej dziewczyny lubiącej dyskotekę, wypady z przyjaciółmi, przemieniła się w młodą kobietę osaczoną milionami spojrzeń. Dwór szwedzki na szczęście różni się od napompowanego etykietą dworu angielskiego. Szwedzka rodzina królewska żyje co prawda w pałacu, ale nie w muzeum konwenansów. Dość wyraźne odstępstwo od zwyczajowych norm, gdyż rodziny królewskie zwykło się postrzegać jako rodzaj szacownych, żywych zabytków umieszczonych w skansenie, o których perypetiach kręci się filmy, pisze książki i plotkarskie artykuły.

W czasach indywidualizmu, gdy każdy żyje, jak mu się podoba (chyba że został wybrany na świecznik i musi świecić moralnym przykładem), królów traktuje się jak probierz przyzwoitości. Są rodzajem muzealnego wzoru metra z Sèvres mierzącego obyczajność. Obdarzeni przy urodzeniu darami wróżek, mają wszystko, by uczynić swe życie szczęśliwym, pod warunkiem, że dostosują się do konwenansów.

Księżniczka Stefania nie musi wydawać rockowej płyty, by zostać gwiazdą popkultury (już nią jest) czy zarobić na chleb. Próbując być piosenkarką, zdecydowała się wyróżnić spośród „bezrobotnych" księżniczek. Tego potrzeba jej było do szczęścia, a nam do szczęścia potrzebne są księżniczki. W czasach gdy kobieta z konieczności staje się feministką, bo powinna być zaradna (wychowywać samotnie dzieci), przedsiębiorcza (utrzymywać rodzinę), wyzwolona (pozbawiona złudzeń) – księżniczka jest uosobieniem skrywanych marzeń milionów kobiet. Na pogrzebie Diany publiczność opłakiwała nie tylko cudowną matkę przyszłego króla, przedwcześnie zmarłą piękną kobietę, ale i własne marzenia. Kobiety utożsamiały się z księżną: była lepszą wersją ich samych. Miała wszystko, by stać się wreszcie szczęśliwą, nawet prawdziwą miłość, i poniosła klęskę. Jej samochód rozbił się, tak jak rozbijają się pragnienia milionów kobiet w ciemnym tunelu okrutnego, niezrozumiałego świata. „Ach damą być, damą być i na Wyspach Bananowych bananówkę pić!" – Maryla Rodowicz prześmiewała się z naiwnych babskich pragnień. Być piękną księżniczką – to sen zmęczonej życiem zwykłej kobiety. Mężczyznom też jest potrzebna niewinna, śliczna księżniczka (w wersji uciśnionej), by mogli stanąć w jej obronie. „No tak, wybrała na męża safandułę, na kochanka łajdaka, gdyby spotkała mnie, jej życie potoczyłoby się inaczej".

Księżniczki dają nam oprócz uśmiechów i piękna poczucie uczestniczenia w czyimś życiu. Jesteśmy jak nałogowi telewidzowie, dla których zastępczą rodziną (prawdziwej nie mają) jest Isaura albo inna postać z ulubionego serialu. Król ojciec, królowa matka i dzieci są archetypem rodziny. Dla poddanych królewskich w Anglii, Danii czy Hiszpanii utożsamianie się z perypetiami rodziny królewskiej ma dodatkowy posmak patriotyzmu. Sięgając po bzdurny reportaż z plotkarskiego pisma, zanurzają się pozornie w tradycji domu królewskiego.

Uroczystości dworskie są transmitowane przez telewizję. Dawniej ślub królewski oglądali tylko dworzanie, poddani widzieli zaledwie przejeżdżającą weselną karetę. Monarchia, chcąc mieć reklamę, zezwala na pokazywanie swej prywatności, czym zaspokaja ciekawość tłumów. Odziera się tym samym z majestatu tajemniczości. Sprowadza swe intymne problemy do poziomu debat w brukowcach. Jest to cena popularności. W rezultacie o perypetiach małżeństwa Stefanii z Monako wiemy więcej niż o prawdziwej przyczynie rozwodu naszych przyjaciół. Ich racje rozstrzyga adwokat. Wątpliwości co do tego, czy winna była księżniczka zaniedbująca męża, czy jego wybujały temperament, rozstrzyga brukowa prasa. Jeżeli nas zdradzono, nie wiemy, chociaż wyobraźnia podsuwa trójwymiarowe wyobrażenia, jak wyglądała dokładnie zdrada. Stefania dowiaduje się o niej w najdrobniejszych szczegółach z porannej prasy: zdjęcia, opisy, wymiary. Publiczne upokorzenie i prywatna tragedia. Jej siostra, księżniczka Karolina, zbulwersowana cierpieniem Stefanii i skandalem traci w wyniku szoku nerwowego włosy. Oczywiście, włosy odrosły. Ale czy odrosną nerwy? Z lekcji biologii wiadomo, że nie, z lekcji życia wiemy, że człowiek przetrzyma niemal wszystko.

Czy oficjalne znęcanie się nad czyimiś uczuciami, śledzenie jego prywatności, komentowanie każdego uśmiechu jest życiem z bajki? Nikt poza ekshibicjonistami nie marzy o takim losie. Księżniczka złapana do klatki, wystawianej przy byle okazji na widok publiczny, zaczyna nienawidzić siebie i świata. Siebie, bo jest w pułapce, świata, bo jest, jaki jest. Oczywiście: arystokratce nie wypada powiedzieć, że „rzyga tym wszystkim", że ma dość. Mówi to jej ciało, którego nie mogą spętać do końca maniery. Język ciała też niekiedy potrzebuje tłumacza. Bulimia Diany brała się z jej odrzu-

cenia rzeczywistości. Zwracała jedzenie, a symbolicznie
– rzeczywistość, którą ją karmiono. Czy śmierci Diany
winna jest prasa, publiczność, przeznaczenie czy smok?
Wszyscy i nikt. Bo może nie ma smoka, nie ma księżniczek. Są tylko zwykli ludzie, którym przydzielono role,
kostiumy, urodzenie, ale zapomniano podać czas sta-
wienia się na spektakl. Wymieszano średniowieczne
tradycje z dwudziestowiecznym panowaniem *reality
show*. Nie sposób zagłodzić medialnego smoka. Czy
słyszeli państwo, że „znów księżniczka Anna spadła
z koniaaa"?

„Twój Styl" 1998, nr 8

Viva vagina!

Kobiety miewają z niej przyjemność, dzieci i konieczność wizyt u ginekologa. Szwecja ma dzięki niej najnowszą modę. „Ale jak ją nazwać?" – zastanawia się bohaterka sztuki *Vivagina*, wystawianej w sztokholmskim teatrze. „Myszką? – głupio. Cipeczką – dziecinnie. Pizdą? – wulgarnie". Tym bardziej że polska „pizda" pochodzi od niewinnej dziurki w igle, zaś szwedzka od słowa kojarzącego się z bagnem. Grząski temat, w którym łatwo zatracić granicę między subtelnością poetyckiego opisu a dosadnością wyzwisk. Ale kto pyta, nie błądzi. „Pani jak nazywa swoją?" – aktorka przepytuje kobiety z pierwszych rzędów. „Nie wiem" – odpiskują zażenowane głosy. Chociaż nie tak bezradne. Dochodzący spośród publiczności jęk udającej orgazm pani po pięćdziesiątce wzbudza ogólny podziw. Nie nazwany, przemilczany narząd dopomina się nie tylko rozkoszy czy imienia, lecz także uznania go za coś równie godnego zachwytu jak penis, mający falliczne obeliski w niemal każdym mieście.

Monodram *Vivagina* – zrealizowany na podstawie wywiadów amerykańskiej dziennikarki Evy Ensler z kobietami zadowolonymi ze swojej płci, upokorzonymi seksualnością, zgwałconymi Bośniaczkami, prostytutkami i dziewicami – stał się zbiorową terapią kobiecości, manifestem dotychczas skrywanej vaginy. Szwedzkie pisma kobiece uczyniły z niej bohaterkę opisywaną i fotografowaną z takim samym zachwytem, jak dotychczas gwiazdy pop lub księżniczki. Obcokrajowiec, przeglądający tutejszy tygodnik dla dorastających panien, może dojść do wniosku, że wzgórek Wenery skandynawskich piękności różni się kolorem (zielony, różowy, tęczowy) i kształtem (serduszko, pacyfka, gwiazdka) od – zdawałoby się – znajomych mu okolic kobiecego ciała. Stylizacja „objęła" wreszcie intymne zakamarki przystrzyżone na wzór francuskich ogrodów, kusząc neonowymi barwami nocnych klubów. Jedno z nowo powstałych damskich czasopism poświęciło cały pierwszy numer, czyli pięćdziesiąt kilka stron, wyłącznie vaginie, jej skomplikowanemu wnętrzu, zewnętrzu i odczuciom, opisywanym przez dumne właścicielki. Pisma kobiece, poprzestające zazwyczaj na lakierowanym naskórku rzeczywistości, pochyliły się z zadumą nad najgłębszą istotą swej płci. Po raz pierwszy wdały się w filozoficzny spór, podejmując „antysartrowski" dyskurs: udowadniają, że kobieta nie czuje się gorsza z powodu dziurawości swego bytu.

Mimo wpływu Simone de Beauvoir na wyzwolone Szwedki, wizyta u ginekologa jest dla nich nadal koszmarem, terroryzującym godność i rozsądek – „nawet lesbijki po serii pytań, na które muszą odpowiadać, obnażone w gimnastycznym fotelu, wychodzą z receptą na tabletki antykoncepcyjne".

Dotychczas vagina ze wszystkimi swymi szczegółami pojawiła się publicznie w pornografii, aluzyjnie w reklamach tamponów. W jednym i drugim wypadku jej obraz był „obrazą" sfeminizowanych Skandynawek, przywykłych do naturalności nagiego ciała. Pornografię uważają za gwałcenie kobiecości, a reklamę podpasek, sugerującą, że z intymnych części ciała kobiet wypływa niebieska ciecz – za męską hipokryzję. Przecież nikt, reklamując szczelność prezerwatyw, nie napełnia ich atramentem. Natomiast plamy, kapiące na telewizyjną podpaskę, przypominają błękitny płyn odkażający, jakby we wnętrzach vagin czaiła się zaraza kobiecości. Mężczyźni nie przeczą, że gdyby mieli okres, byliby z niego dumni. Jeden z najpopularniejszych dziennikarzy opisał, co by robili z podpaską on i krwawiący co miesiąc koledzy. „Faceci przechwalaliby się ilością przelanej krwi. – O zobacz, jak moja podpaska napęczniała, jaka jest duża. Wrzucaliby je ostentacyjnie do koszy w miejscach publicznych, a nie upychali w dyskretne pakieciki. Na ulicy zębami wyrywaliby z opakowań tampony, tak jak zrywają zatyczki granatów lub puszek od piwa. Licytowaliby się, który lepiej, odważniej znosi napięcie przedmenstruacyjne i ból". Co do ostatniego spostrzeżenia, sądzę, że w nim zawarłaby się wtedy cała odwaga bycia mężczyzną. Na razie wszystko jest po staremu, chociaż feministki nie bojkotują sztokholmskiej wystawy, nazywającej z angielska kobiece intymności „bobrem". Prowokacyjne fotografie z *Oh, it's a beaver* są podziwiane, bo przecież „jesteśmy godne podziwu!"

Autorki spektaklu *Vivagina* przewidują, że będzie grany latami. Tytuł wybrały ze względu na piękne brzmienie tego słowa i opisywaną przez nie funkcję. „Powinno się ją nazywać vaginą od łacińskiego słowa «pochwa», obejmuje bowiem miecz". Być może nadszedł czas, by po ujawnieniu piękna oraz zalet vaginy schować miecz do pochwy i zakończyć wreszcie wojnę płci. *Make love not war.*

„Wprost" 1998, nr 10

Kontrowersyjka

„– Kto idzie? – Pan Andrzej stanął jak wryty. Uczyniło mu się nieco ciepło. – Swój – odezwały się inne głosy. – Hasło? – Uppsala! – Odzew? – Korona!... Kmicic zmiarkował w tej chwili, że to straże się zmieniają". Po czym wysadził kolubrynę. Myślę, że Szwedzi złupili Rzeczpospolitą, bo oprócz niezawodnej kolubryny mieli precyzyjny język. Na hasło „Uppsala" odpowiadali jednoznacznie „Korona". Natomiast Polacy z nadmiaru patriotycznego sentymentu byliby w stanie na jedno hasło odpowiedzieć kilkoma odzewami: Koronka, Koroneczka, co prowadziłoby do nie lada konfuzji, zamieszania, licznych klęsk i w konsekwencji rozbiorów.

Gołosłowie? W naszym barokowym języku? Przenigdy! Już służę przykładem. Pułkownik Kuklinowski na usługach Szwedów spaprał robotę, gdyż zamiast skupić się na wykonaniu zadania (torturowanie Kmicica), rozproszył swą uwagę lingwistycznymi ozdobnikami: „A ja... go ze skórki żywcem obłupię", albo: „Chodź, robaczku, ze mną, chodź, przesławny żołnierzyku... potrzeba ci pielęgnacyjki".

„- A może jeszcze marcheweczki? Barszczyku dolać? Kawusię podać?" - pochyla się nade mną kelner. Teraz, kiedy to Polacy oblegają pielgrzymkami Jasną Górę, płynę ze Szwecji do ojczyzny polskim promem. Na hasło: „Rachunek", kelner daje niezawodny odzew: „Koronki? Złotóweczki?". Niczym pułkownik Kuklinowski, ma w oku złowrogi błysk. Jest sfrustrowany, nie cierpi swojej pracy, obsługiwania za marne złotówki, liche napiwki. Im bardziej nienawidzi turystów szastających walutą, tym słodziej okrasza słowa zdrobnieniami. Na polskiej ziemi zaczynam się bać tych wszystkich „kochanych, kochanieńkich" rodaków, podających mi w kiosku „gazetkę", sprawdzających „bilecik". Rozumiem, że ksiądz mówi do ludzi „kochani", ale dlaczego również polityk i telewizyjny *disc jockey*? Nie ufam tym „kochającym". Podejrzewam, że pod czułymi słówkami kryje się psychopatyczny typ (na wzór pułkownika Kuklinowskiego), gotów przy byle okazji uraczyć „torturką". Wkłada na twarz służalczy, przymilny kaganiec uśmiechu, a w uszy bliźnich słodką watę słów, mającą zagłuszyć wrogość. Zdrobnieniami mówi się do dzieci: miluśki, piciu, ciciu. Kiedy dorośli mówią tak do siebie, to albo starają się ukryć pogardę, niechęć, albo lekceważą, udzieciniają. W księgarni sprzedawczyni proponuje „Markezika", jakby zachwalała

„świeżutki salcesonik". Ciekawe, czy już „upolszczo-no" Szymborską na „naszą kochaną Szymborcię". A może zgrabniej na „Wisię", wzorem Gombrowicza, o którym znawcy mawiają: „Wituś". Jakiś odruch pols-kości każe zdrabniać, ściamkać dla łatwiejszego przy-swojenia nawet tym, którzy uciekli od tego narodu za ocean, by niestrawny mentalnie naród przestał im się wreszcie odbijać (intelektualnie w dziełach).

W świecie przerabianym na bezsmakową papkę zdrobnień dla zdzieciniałych umysłów wynale-ziono także określenie na poglądy bez poglądów. Mod-ne określenie „kontrowersyjny" – co znaczy sporny, dyskusyjny – używane jest po to, by broń Boże ktoś nie pomyślał, że ma się ochotę na spór czy dyskusję. Oce-niający dzieła sztuki lub osoby jako „kontrowersyjne" uważa, że już się wypowiedział. A ja nie wiem, czy jest za, czy przeciw. Coś jest dobre czy złe? Takie i takie? Ni-jakie? Będzie wiadomo, ile co warte, gdy zadecydują o tym eksperci? Dlaczego na tej samej zasadzie nie nazy-wać „kontrowersyjnymi" fałszywych pieniędzy? Prze-cież póki się nie okaże, że nie są nic warte, warte są tyle, ile na nich napisano.

A może po polsku „kontrowersyjny" zna-czy odważny, mówiący prawdę? Najnowszy (znakomi-ty) teledysk Nosowskiej o głupawym krytyku muzycz-nym nazywa się „kontrowersyjnym" chyba dlatego, że „zbrodnia to niesłychana, artystka (wreszcie) skrytykowała pacana!". Kontrowersyjność straszy również po śmierci. Pogaduszki „Na każdy temat" nawiedził pan, wspominający swe życie po życiu. W zaświatach poddano go samoobsługowemu sądowi ostatecznemu, podczas którego jeden z własnych uczynków ocenił jako „kontrowersyjny" (podlegający dyskusji względem boskich przykazań czy diabelskich pokus?). Świętemu Piotrowi musiały opaść ręce, aureola na oczy i nic dziwnego, że tak oślepiony słusznym gniewem, odesłał delikwenta z powrotem na ziemię, by oduczył się „kontrowersyjności", a nabył rozumu.

Do RTL-owskiego *talk show* Wojtka Jagielskiego zaproszono m.in. Krystynę Jandę, Urszulę. Na koniec pokazano nowojorskie nagranie „rozmowy z Madonną". Jagielski przedstawił się i zadał Madonnie kilka pytań. Czekam na podpis, komentarz, że to wszystko żart, że obejrzeliśmy program satyryczny, coś w rodzaju „Wiadomości" Jacka Fedorowicza. „Rozmowę" Jagielskiego z Madonną widziałam dwa tygodnie wcześniej z tą różnicą, że była to konferencja prasowa i te same pytania zadawało kilku innych dziennikarzy. Jagielski powycinał cudze głosy, podłożył swój, zrobił nowy montaż i miał Madonnę tylko dla siebie, na konferencji, na której – podejrzewam – w ogóle nie był. Chociaż wybrał dobrą pointę, skierowaną niby do niego. Madonna mówi: „Lecz się na głowę" – do dziennikarza pytającego ją, czy myśli o seksie, śpiewając córce piosenkę. Rzeczywiście: „Wojtek, lecz się na głowę" – skoro, wbrew temu, co widzieliśmy w TV, nie powiedziała Ci tego osobiście Madonna, pozwól, że usłyszysz tę radę ode mnie.

Czy i ten ewidentny szwindel będzie nazwany „kontrowersyjnym" *talk show*? Kiedy brakuje najprostszych słów „tak" i „nie", „prawda" i „fałsz" – pojawiają się kontrowersje, czyli różne wersje prawdy albo niekiedy głupoty, rozmywające sensy i oceny.

„Wprost" 1998, nr 27

Po „Kontrowersyjce" zaczęła się wymiana korespondencji i oskarżeń. Producenci *Wieczoru z Wampirem* napisali list otwarty do „Wprost":

Manuela Gretkowska popełniła rzecz zgoła nie kontrowersyjną, posunęła się mianowicie do oszczerstwa. Omawiając rozmowę Wojtka Jagielskiego z Madonną (emitowaną w bijącym rekordy oglądalności programie Wieczór z Wampirem*) pani Gretkowska stwierdziła, że wywiad był fałszerstwem. Chcielibyśmy w związku z tym uświadomić zarówno Manueli Gretkowskiej, jak i jej czytelnikom, że Wojtek Jagielski w styczniu tego roku uczestniczył w zorgani-*

zowanej w Los Angeles konferencji prasowej z Madonną. Pytania, jakie zadał artystce, a także jej pełne odpowiedzi wiernie przedstawiliśmy w jednym z odcinków naszego programu. (...)

Opatrywanie nieprawdziwych informacji agresywnym komentarzem przekracza granice felietonowej nonszalancji. Uważamy zatem, że Wojtkowi Jagielskiemu należy się sprostowanie i przeprosiny ze strony autorki owych pomówień.

Odpowiedziałam w następnym numerze:

Producenci programu Wieczór z Wampirem *nazwali moją opinię o wywiadzie* Wampira z Madonną *oszczerstwem, na dowód czego proponują pokazanie zapisu tego wywiadu na kasecie wideo. Pisząc, że wspomniana rozmowa jest medialnym oszustwem, powołałam się właśnie na to, co widziałam i słyszałam podczas wspomnianego programu z* Wampirem. *Piszą panowie: „Chcielibyśmy uświadomić zarówno Manueli Gretkowskiej, jak i jej czytelnikom, że Wojtek Jagielski w styczniu tego roku uczestniczył w zorganizowanej w Los Angeles konferencji prasowej z Madonną". Problem polega na tym, że oszustwem nazwałam nie udział* Wampira *w publicznej konferencji prasowej, podczas której pytania zadawali różni dziennikarze, ale jego osobisty wywiad z Madonną. Proszę mi wytłumaczyć, jak to możliwe, że widziałam wcześniej amerykańską konferencję prasową z Madonną, emitowaną przez szwedzką ZTV, podczas której* dziennikarze (różnych narodowości) zadali dokładnie te same pytania, co pan Jagielski? Może to zbieżność, w końcu zestaw pytań i odpowiedzi zdaje się ograniczony, ale dlaczego oczy Madonny „biegają" po ekranie, gdy odpowiada panu Jagielskiemu, jakby kierowała słowa do ludzi siedzących w różnych miejscach, a pan Jagielski nie pokazuje się na ekranie i jego głos słyszymy z offu? Nie leży to w formule jego Wieczoru z Wampirem. Napisałam dosłownie: „Jagielski powycinał cudze głosy, podłożył swój, zrobił nowy montaż i miał Madonnę tylko dla siebie, z konferencji, na której - podejrzewam - w ogóle nie był". Moje podejrzenie bierze się stąd, że skoro można spreparować prywatny wywiad, to po co w ogóle fatygować się na publiczną konferencję. Być może Wampir pojechał na konferencję, ale - według mnie - nie przeprowadził prywatnego wywiadu z Madonną. Z kawałków taśmy spreparował nowy twór, a że pan Jagielski-Wampir jest z zawodu lekarzem, od tego czasu myślę o nim nie jako o Wampirze, lecz jako o doktorze Frankensteinie, zszywającym z cudzych kawałków własne dzieło. Jeżeli panowie nadal podtrzymują swoją opinię, że mój felieton jest oszczerstwem, proponuję oddać sprawę (kasetę RTL i kasetę z publicznej konferencji Madonny promującej swoją najnowszą płytę) w ręce ekspertów. Prawda, choć bywa kontrowersyjna, jest jedna.

Szczepionka na kobiety, czyli ekologia seksu

Czy niedługo kobiety będą musiały sikać w torebki? Łykając nafaszerowane hormonami środki antykoncepcyjne, wydalają za dużo estrogenu. Zanieczyszczają nim środowisko i trują samców. Chemiczna antykoncepcja okazała się więc wyjątkowo skuteczna. Nie tylko nie dopuszcza do rozwoju ciąży, ale i zapłodnienia, odbierając mężczyznom ich męskość. Świat pławi się w estrogenie ściekającym kanalizacją do rzek i oceanów. Może nadejść katastrofalna fala kobiecości. Martwić się? Być dumną? Raczej zdziwioną, w czym jeszcze znajdują się związki estrogenopodobne: środki przeciw insektom (DDT), spaliny samochodowe, farby, proszki do prania, niektóre odmiany plastiku.

Mężczyźni na burzę hormonów odpowiedzą burzą mózgów i coś w samoobronie wynajdą. Na przykład szczepionkę przeciw kobietom. Albo wyprodukują pojemniki, w których składować się będzie żeńskie odchody z takim samym zachowaniem ostrożności, jak magazynuje się odpady nuklearne. Póki co, biedna kobieta, sortuję śmieci na mojej szwedzkiej wsi.

Osobno plastik, szkło (oddzielnie białe i kolorowe), papier. Ekologia stała się w Skandynawii boginią czystości. Jej wyznawcy spędzają godziny, szorując pudełka po mleku, składając je starannie, by zajęły mniej miejsca w specjalnym koszu. Zastanawiam się więc, dlaczego młode Szwedki, tak przejęte naturą, same siebie traktują gorzej od jednorazowych opakowań? Depczą naturalne prawa rozsądku, ryzykując życie. Na policję zgłosiło się 140 panienek, uwiedzionych przez zabójczo przystojnego Amerykanina. Interpol poszukuje go nie za podrywanie na dyskotece pijanych dziewczyn (nie miały się na co skarżyć, był sprawnym kochankiem), lecz za świadome zarażenie ich wirusem HIV. Prawie żadna z jego dobrowolnych „ofiar" nie użyła prezerwatywy. Jakby wyjęcie z torebki kondomu było trudniejsze od ściągnięcia majtek. Współczesny Don Juan, grasujący w liberalnej obyczajowo Szwecji, z seryjnego kochanka może stać się seryjnym mordercą. Prasa nazywa go HIV-manem albo Aniołem Śmierci. Z dwustu uwiedzionych zaledwie jedna oparła się jego urokowi, twierdząc, że zrobił na niej wrażenie tandetnego podrywacza. I miała rację, Don Juan kłamał. Nie był żadnym amerykańskim biznesmenem, lecz obywatelem jednego z państw Bliskiego Wschodu. Złocistą skórę zawdzięczał samoopalaczowi. Powodzenie - alkoholowemu zamroczeniu panienek. Nikt nie potępia dziewczyn chodzących na dyskotekę poderwać chłopaka. Jest przecież równouprawnienie. Polega ono nie tylko na równouprawnieniu na-

rządów, ale i głów. Ofiary HIV-mana są ofiarami przesądów (AIDS jest już nieszkodliwe dla ludzkości jak
asteroid po zmianie orbity) i swoich czasów. Nie boją
się przeszłości (tradycji), czyli grzechu. Nie boją przyszłości – na ciążę najlepsza jest pigułka. Zostaje im te-
raźniejszość. Zamykająca się bardzo często w filozofii
one night stand – erotycznej przygody jednej nocy. Nie
z cynizmu, lecz z bezradności. Sądzę, że pragnąc seksu,
mają nadzieję na miłość. Trzeba być jednak w miarę
trzeźwym, by rozpoznać, z kim ma się do czynienia.
Facet „wyhaczający" pijaną panienkę z parkietu prosto
do łóżka traktuje ją jak jednorazową kochankę. Spo-
dziewać się po nim czegoś więcej? Byłoby to równie sen-
sowne, jak żądanie od kierowcy, korzystającego z usług
odblaskowej Rumunki, żeby zawiózł ją do urzędu stanu cywilnego w celu zalegalizowania tak atrakcyjnie
rozpoczętego romansu. Nabuzowani testosteronem
mężczyźni mają naturę łowcy. Nawet współcześnie nie
udało się jej uśpić stężoną dawką estrogenowej babskoś-
ci. Przez pokolenia wyrobili sobie gust do najsmakowit-
szych kąsków, wzbudzających ich apetyt erotyczny: a to
zgrabna damska nóżka, a to biuścik albo sam seks. Kobiety zakochują się przeważnie w „całym człowieku",
traktując penis jako smakowity dodatek do męskiej
osobowości.

Nie chcę nikomu prawić kazań ani mora-
łów. Że należy się szanować, być wiernym albo... mąd-
rym. Życie nie ma morału. Kończy się śmiercią. Ten

tekst proszę potraktować jako list gończy. Interpol nadal poszukuje Anioła Śmierci. Sądzę, że w Polsce „amerykański biznesmen" miałby nie mniejsze powodzenie niż w Szwecji. Każdy ma swojego Anioła przeznaczenia. Jeśli pojawi się, proponując wspólny odlot, weź ze sobą prezerwatywę. Nie ufaj nawet Aniołom.

Faceci w jedwabiach

Kiedy jest zimno, chodzę w spodniach, a w ciepłe dni wypuszczam nogi na wolność. Żeńskiego człowieka dopada jednak czasem chętka na błyśnięcie jedwabistą łydką. Wybrałam się więc na Chmielną po jedwabie albo nylony. Nie lubię rajstop. Przypominają męki dzieciństwa w gryzących, opadających rajtuzach. Zwykłe pończochy są delikatniejsze, ale cała ta maszyneria klamerek, pasów, pasków oplątujących nogi, wrzynających się w biodra, nie kojarzy mi się z erotyką, ale z *science fiction*, jakby dziwka puściła się z cyborgiem. Kupiłam więc „raj-uda" (czemu nie, skoro istnieją raj-stopy), zwane przeze mnie także pijawkami. Są to pończochy trzymające się na nodze dzięki gumowej podwiązce, wpijającej się w udo, co tamuje przepływ krwi. Poza obrzmieniem nóg następuje u ich nosicielki prawdopodobnie także obrzmienie mózgu. Skąd to podejrzenie? Po założeniu pończoch-pijawek „Elledue" *made in Italy*, za 18 złotych polskich, miałam halucynacje wzrokowe. Nie, że pijawki za długie albo za krótkie.

Były idealne – z lycry, i przyssały się natychmiast silikonowym paskiem, ozdobionym dość tandetną plastikową koronką. Wrażenie, że coś jest nie tak, wywołało opakowanie „Elledue". Z pozoru zwykłe: opisano na nim pijawki w kilku językach europejskich. Po francusku, hiszpańsku, niemiecku, angielsku: *Satin sheer self supporting stocking with Lycra. Silicon elastic belt.* Jednak po polsku te same pijawki zmieniły się już w cacko: „Pończochy samonośne z kosztowną koronką, matowe, jedwabiste, z lycrą podwójnie oplataną". Natomiast w wersji rosyjskiej dodano jeszcze jedną zaletę: „Częściowo podkreślają waszą seksualność". Ostrożne „częściowo" jest chyba zabezpieczeniem przed ewentualnymi reklamacjami. Nie, że poleciało oczko, ale że on do krasawicy z tak „podkreśloną seksualnością" oczka nie puścił. Czy te zachwalane pijawki są na tyle dobrej jakości, że ich rosyjskie nosicielki mają szansę (choćby częściową) na znalezienie sponsora lub bogatego, najchętniej zagranicznego, męża? Zachodnie biura matrymonialne są zarzucone ofertami ładnych, wykształconych i zdesperowanych Rosjanek szukających kogoś, kto wyciągnie je z bagna Republiki Nieszczęść Zjednoczonych.

Jeśli więc wczytać się w opakowanie zwykłych pończoszek-pijawek z Chmielnej, znajdzie się na nim wypisane marzenia, pragnienia i potrzeby Europejek końca XX wieku. Dla Niemek są przede wszystkim praktyczne, dla dorabiających się Polek kosztowne, a więc warte wydatku, dla Rosjanek erotyczne. Wyrzuciłam do kosza niepotrzebne już opakowanie, tę mapę babskich nadziei przyssanych do geopolitycznej codzienności.

Paradując teraz w cienkich pończoszkach, pozwolę sobie lekkim krokiem przejść do nieco cięższych problemów. Takie opakowania, w różnych językach, wciska się nam przy innych okazjach. Ten sam fakt, a ile interpretacji i tłumaczeń. Na przykład we Francji badania prenatalne są zalecane trzykrotnie podczas ciąży. Prowadzą je ginekolodzy, specjaliści od USG, laboranci. W Polsce zajmują się tym specjaliści od polityki, decydując, czy pozwolić na przeprowadzanie inwazyjnych badań prenatalnych (wkłuwanie się igłą w łono), czy też ich zakazać. Mawia się: „nie wylewaj dziecka z kąpielą". Po polsku należałoby teraz mówić: „nie badaj dziecka przed porodem". W jednym kraju kobieta ma prawo znać stan zdrowia swego dziecka, w innym ma zakaz. Na początku tego wieku francuską lekarkę Madeleine Pelletier, domagającą się swobodnego stosowania antykoncepcji i prawa kobiet do aborcji, uznano za wariatkę i zamknięto dożywotnio w szpitalu psychiatrycznym, gdzie zmarła tuż przed drugą wojną światową. Dzisiaj miliony „wariatek" kupują w aptekach środki antykoncepcyjne. Łaskawie pozwolono na to szaleństwo także Japonkom, ale dopiero w ubiegłym roku, gdy Japończycy dostali viagrę. Wiadomo, z tabletkami dla kobiet jak z pończochami: w jednym kraju wpływają na seksualność, w innym są kosztowne, a gdzie indziej tak „brzydkie", że sam ich widok potrafi wywołać uczulenie.

Za szaleńca uznano też pierwszego lekarza, stosującego znieczulenie podczas porodów. Kobieta powinna rodzić w bólach. W ogóle kobieta powinna czytać opakowania, spełniać zalecenia instrukcji, Sejmu i chodzić w pończochach, od których tak puchnie mózg, że nie chce się myśleć, tylko przebierać erotycznie jedwabistymi nóżkami. Natomiast niektórzy panowie nie czytają głupot na opakowaniach. Zakładają sobie pończochy na głowę i tak zdobywają banki, pieniądze, władzę, a inni w jedwabnych rękawiczkach stosują polityczno-moralną przemoc.

Zbliżenie z kobietą publiczną

– Czym jest winogrono? Rodzynką po liftingu – wymyślałam upojona sfermentowanym sokiem
z najsłodszych muscatowych gron.

Chyba nie mniej trzeźwa była amerykańska
komisja estetów i matematyków, zadając sobie pytanie:
kto jest najpiękniejszy na świecie? Okazało się, że Leo-
nardo di Caprio i Catherine Deneuve. Dlaczego? Bo
w ich twarzach jest doskonała symetria (nie względem
siebie, lecz ideału piękna). Co do Caprawego Leo, to jego doskonale obojętne spojrzenie zdradza, że należy
prawdopodobnie do istot doskonałych, samowystar-
czalnych, gdyż nawalonych kokainą i prozakiem. Natomiast uroda Katarzyny Nowackiej jest czymś więcej
niż kanonem proporcji. Ozdobiłabym jej wizerunkiem
podręczniki filozofii średniowiecza. Oczywiście bardziej w stylu gotyku jest podzwaniająca piszczelami Ka-
te Moss, ale Deneuve pasuje do tamtej epoki typem metafizycznym. Jest żywą odpowiedzią na problem gnę-
biący scholastyków: „Czy możliwe jest współistnienie
przeciwieństw?", czyli *coexistentia oppositiorum*. Łączyć

w sobie przeciwieństwa, a zarazem istnieć, mógł tylko Bóg. W naszych pogańsko-demokratycznych czasach dostąpiła tego przywileju boska Deneuve. Istnieje od kilku lat (tzn. żyje, za co płaci podatki) i nie brzydnie. Nie jest kobietą, o której mawia się „interesująca", nie mogąc już powiedzieć „ładna". Deneuve jest nadal piękna, podobno najpiękniejsza. Komisja, ogłaszając taki werdykt, nie pytała lusereczka: „Powiedz, powiedz, kto na świecie...", lecz zażądała odpowiedzi od komputera. Maszyna zanalizowała zdjęcia światowych idoli, pomierzyła je, porównała i ogłosiła beznamiętny, geometrycznie udowodniony wynik. Ale czy piękno może być matematyczne? Matematycy uważają, że niektóre z dowodów są bardziej eleganckie od innych. Jednakże piękno nie jest tylko wykalkulowaną elegancją. Jest emocją, wywołującą wzruszenie, zachwyt, pożądanie. Być może twarz Catherine Deneuve mieści się w kanonie proporcji podlegającym niezmiennym prawom matematyki, a nie zmienności czasu. Bywa, że kobietom w średnim wieku (czyli także moim) czas nakłada się warstwami makijażu, rozmazując rysy twarzy i cienie pod oczami. Doszukanie się w takim starzejącym obliczu urody wymaga wyobraźni. „O, jaka pani piękna!" – wykrzykujemy, dodając szeptem w myślach: „...była na pewno kiedyś". Twarz nastolatki jest młoda i ładna, tyle że pusta, to znaczy świeża. Dopiero z czasem pojawia się na niej charakter i zmarszczki. Nic dziwnego, że kosmetyki reklamują trzynasto-, piętnastoletnie dziewczyny. Ich buzie są śliczne i bez wyrazu. Każda następna pojawiająca się zmarszczka jest pęknięciem, przez które wypływa strumień czasu. Zmywa z twarzy maskę młodości. Zostawia poorany krajobraz osobliwości, osobowości. Twarz Deneuve jest zarazem interesująca i piękna spokojem dojrzałej urody. Jest też nieskazitelnie czysta, dziewczęca. Na zbliżeniach filmowych (jedyny rodzaj bliskości, do jakiego są dopuszczani zwykli wielbiciele kobiet publicznych) czy na fotograficznych reklamach kosmetyków aktorka nie ma żadnej skazy. Nie interesuje mnie, czy zawdzięcza to operacjom plastycznym. Pewnie gdzieś za uchem albo pod włosami ma kilka blizn. I co z tego? Osiągnęła urodę wieczną, usprawiedliwienie swego aktorskiego żywota. Przecież niektórzy, chcąc zyskać życie wieczne, wystawiali się na gorsze udręki. Chociażby Orygenes, odcinający sobie członek, by nie zawadzał mu w drodze do zbawienia. Porównanie cierpień bożego szaleńca i aktorki może się wydać niestosowne. Ale Deneuve jest współczesną ikoną (to znaczy obrazem) piękna. A piękno to drogowskaz ku odwiecznej graciarni zaświatów, gdzie każdy znajdzie (w innym wymiarze) to, co sobie wymarzył i na co zasłużył. Maskę demona, święte relikwie, niezniszczalne piękno. Kończy mi się wino w butelce. Wypijam więc ostatni toast za najpiękniejsze kobiety świata i za wszystkie rodzynki po liftingu.

„Cosmopolitan" 1999, nr 2

Ławica posłanek

Podobno przeciętny mężczyzna co 17,5 sekundy myśli o seksie. Ale o czym myśli w tak zwanym międzyczasie? A kobieta myśli, czy czuje, że myśli? W polskim Sejmie posłanki lewicy zażądały uprawnień dla kobiet, uważając, że Polki prawnie „są własnością mężczyzn". Po kiego zwracają się z tym do swoich właścicieli, czyli mężczyzn, będących w Sejmie większością?

Szwedki na początku lat dziewięćdziesiątych nie prosiły nikogo o władzę. Odesłano by je do kąta jak niegrzeczne dziewczynki. Szwedzkie dziewczynki wiedzą, na co stać cwanych chłopców, więc zagroziły założeniem partii kobiet. Z łatwością miałyby 20 procent wyborczych głosów, stając się trzecią co do wielkości partią. Do władzy doszłaby (czy raczej dopłynęła) drapieżna „ławica pizdek". Tak nazwał kobiece lobby ówczesny przewodniczący największych szwedzkich związków zawodowych. Wikingówny wywalczyły swoje – z hasłem: „Cała pensja (czyli taka jak mężczyzn) i połowa władzy". Zrezygnowały z babskiej partii pod warunkiem, że 50 procent miejsc w rządzie zajmą panie. „Ławica pizdek" zamieniła się w ławę pełną posłanek. Zgodnie z nadbałtyckim przysłowiem: jak kto sobie pościeli, takie będzie miał posłanie.

Nie sądzę, by Polkom udało się założyć kobiecą partię, przecież w Polsce polityka to nadal typowo męskie zajęcie. Niedelikatne, wymagające logicznego myślenia, szwindlu, więc białogłowom nie przystoi. Zresztą po trzydziestce wiele Polek jest już po intelektualnej menopauzie. Nie są ich w stanie zapłodnić żadne idee, a już broń Boże pomysły na społeczne, „feministyczne" zmiany. Zmienia się codziennie bieliznę osobistą, nie świat skrojony jeszcze w XIX wieku według męskiej mentalności: *Kinder, Küche, Kirche*. I tak dobrze, że kobiet w Polsce nie tatuuje się jak niewolnice czy krowy znakiem właściciela. Gorącym żelazem albo tuszem do końca życia: „Kowalska", po mężu.

Kiedy wyszłam za mąż, dopisałam sobie do nazwiska godność męża. Gdy kilka lat po rozwodzie próbowałam wyrobić sobie nowe papiery, okazało się, że wcale nie nazywam się z ojca i matki Gretkowska, lecz również tak, jak mój były mąż. Kiedy minął szok (*my name is Bond? James Bond?*), zapytałam panienkę w okienku, czy mogę zmienić nazwisko na pseudonim, którego używam, czyli „Gretkowska", co uprościłoby wszelkie formalności (konta bankowe itp.), bo kiedyś, przed zamążpójściem, przypadkowo też się tak nazywałam. Urzędniczka poszła zapytać naczelnika. Jego wyrok był bez odwołania: „Jeżeli chce pani wrócić do swego nazwiska, czyli pseudonimu Gretkowska, powinna pani napisać podanie i je uzasadnić". Po prostu jako świeża rozwódka (czemu by nie, skoro jest świeża mężatka?) nie wiedziałam, że trzeba już podczas rozwodu żądać powrotu do panieńskiej godności. Teraz muszę uzasadniać, dlaczego nie chcę dzielić nazwiska z kimś, z kim nie łączą mnie więzy krwi lub inny rodzaj zażyłości. Znaczy to, że zdarzają się prośby źle uzasadnione i odrzucane? Że kobiecie, chcącej powrotu do swej „godności", można tego odmówić? A może były mąż powinien wyrazić zgodę na zmianę nazwy swej byłej własności? Proszę od razu przy rozwodzie wyznaczać kobiecie kuratora. Zanim wyjdzie znowu za mąż, jest istotą pozbawioną swej „godności", a więc czemu by nie innych praw obywatelskich? Wiem: zmiana nazwiska jest drobiazgiem przy innych kobiecych przypadłościach z polskim prawem, ale najbardziej symbolicznym.

Telewizja za czasów komuny udawała „rzeczywistość". Teraz rzeczywistość naśladuje telewizję. Serial *Klan* o przeciętnej polskiej rodzinie będzie niebawem prawdziwym obrazkiem z życia. Jego bohaterkom dolegają tylko mężczyźni, obdarzeni wszelkimi przypadłościami i chorobami: AIDS, Alzheimer, zespół Downa, seksoholizm, bezrobocie, alkoholizm, paraliż... Klanowe kobiety polskie są natomiast prawie wszystkie zdrowe (po to, by się swymi mężczyznami opiekować?) i gdyby nie faceci, byłyby całkiem szczęśliwe lub nawet nieśmiertelne. Mają wiele do powiedzenia, a jeszcze więcej do zrobienia. Zajmując się tak odpowiedzialnie życiem, również cudzym (patrz *Klan*), mogłyby także o nim decydować. Nie tylko w domu, ale i w polityce.

„Wprost" 1999, nr 17

Cipuś w farmazonach

Sałatkę można zjeść w barze „Prohibicja"
w Warszawie na ul. Podwale 1 od 18 do 24 lutego.

Przepis:

dwie piersi kurczaka
osiem plastrów ananasa z puszki
szklanka ryżu
szklanka lub półtorej majonezu
dwie łyżki musztardy
curry, sól, pieprz

Kurczaka gotujemy z dużą ilością curry (2-3 łyżki). Ryż gotujemy także z curry. Szarpiemy ananasa na strzępki, na drobne siekamy ugotowanego kurczaka. Mieszamy z ryżem. Dodajemy majonez i musztardę, solimy i pieprzymy. „Cipuś w farmazonach" podany od razu na ciepło jest daniem obiadowym. Na zimno sałatką. O tym, czy się udał, przekonujemy się na podstawie smaku, który powinien przypominać orzechy włoskie. Jeżeli efekt nie sięga ideału, dyskretnie dosypujemy zmiażdżonych orzechów.

„Cipusia w farmazonach" zaznałam w podeszłej młodości. Polecam go, gdyż w Polsce karierę robią sałatki. Dlaczego nie odmiany pizzy czy hamburgery? Sądzę, że różnice kulinarne zaczynają się nie w garnku, lecz od tego, jak się smakuje rzeczywistość.

Sałatka zaspokaja głód i mentalność. Już sama jej nazwa ma w sobie coś z typowej polskiej manii zdrabniania słów, by łatwiej je przełknąć. Żeberka, nóżki w galarecie, klopsik. Te niemal pieszczotliwe określenia zasłaniają krwawy realizm siekanego mięsa, amputowanych racic, szlachtowanych ciał.

Sałatka odsyła nas jak magdalenka w krainę błogiego dzieciństwa, gdy namawiano nas do zupki i kompociku. Strojną w kolory i smaki, podaje się rozdrobnioną na kawałki dziecinną potrawkę. Nie musimy jej gryźć i żuć. Choćby przyrządzono ją z czuszki, dzięki swej konsystencji zostawia posmak papki. Sałatka nie zmusza do wyboru, stanowczej decyzji. Pomieszane składniki nie straszą jednoznacznością schabowego czy czegoś, co na talerzu z obrzydzeniem oddzielamy widelcem od reszty dania. Porcja sałatki kojarzy się z ekranem telewizora, na którym migają przełączane programy: kolorowo, szybko i ciekawie. Kilka sałatek na talerzu przypomina najlepsze dzieła abstrakcjonistów. Jest to więc potrawa nowoczesna, bez ciężkich sosów monachijskich czy martwych natur, wylegujących się na obrazach holenderskich mistrzów. Można ją jeść o każdej porze dnia. Zazwyczaj leży sobie w lodówce i czeka na gości. Mogą się spóźnić godzinę, dwie, nie rujnując kulinarnych przygotowań gospodarzy. Jada się ją w każdej pozycji: stojąc podczas eleganckiego lunchu, siedząc u cioci na imieninach, leżąc w domu i dziabiąc ją z półmiska na podłodze. Jest pstrokatą flagą demokracji, gdyż potrafi ją zjeść każdy, nie popełniając gafy. Nabiera się ją widelcem, bez wahania, czy tym dłuższym, czy krótszym, lewą czy prawą ręką, i bez akrobacji z nożem. Sałatka jest więc symbolem naszych zmiksowanych upodobań, wymieszaniem składników, gastronomicznym postmodernizmem. I smakuje lepiej od konwencjonalnych dań, przygotowanych według sztywnych kanonów skojarzonych ze sobą raz na zawsze proporcji. Po prostu – uwodzicielska sałatka smakuje jak seks przed ślubem.

„Rzeczpospolita Magazyn" 1999, nr 7

Ciąża publicznie urojona

Chcąc (pisząc książki), nie chcąc (odpowiadać na pewne pytania) – stałam się medialną mass-kotką.

Kotki kocą się w sposób instynktowny, wręcz nieświadomy. Rok lub przynajmniej dziewięć miesięcy temu przeczytałam w prasie, że jestem w ciąży. Czyżbym, będąc uświadomioną, poczęła coś aż tak nieświadomie? W „Polityce" wyczytałam nawet, że będę miała trojaczki. To już nie dziennikarska kaczka, ale cały bocian. Plotka jest współczesną jednorazową legendą, marzeniem na sezon. Dlatego nie zastanawiałam się, kto jest ojcem tej publicznie urojonej ciąży, tylko po co ona w ogóle zaszła.

Koncepcja jest taka:

Celebruje się ciążę, macierzyństwo piosenkarek, aktorek (teraz także pisarek?), jakby demaskowano ich prawdziwą naturę. Biega taka półnaga, wymalowana po scenie. Udaje anioła, kosmitkę albo punkową zdzirę. Wymyśla sobie pseudonimy, osobowość. W wywiadach szokuje poglądami na rodzinę, antykoncepcję, dziwaczne pieczenie schabowego. Po prostu artystka. Macierzyństwo jest zaś czymś naturalnym. Pieluchy – drobnomieszczańskim. Zwiastują, niczym białe chorągiewki, kapitulację, koniec artystycznej wolności. Po dzikich nocach upomina się o swoje codzienne prawa natura. Ciąża jako kara za bycie inną. Nie wydumana, artystowska poza, lecz zwykłość czy wręcz pospolitość, utytłana w przecierach, soczkach, biegunkach. „No i co, niby taka niezależna, wyzwolona, a dzieciak ją na ziemię sprowadził". Madonna po urodzeniu córki nawróciła się na katolicyzm (zakrapiany kabałą), otuliła zmądrzałą głowę lokami botticellowskich aniołów. Wystarczy poczytać wywiady z polskimi madonnami rocka – świat po porodzie jest stanowczo inny niż prenatalny. Od (wykastrowanego) Marilyn Mansona z różowymi oczyma i powycinanymi żebrami, wyglądającego jak dziecko Frankensteina z Cher, nikt nie spodziewa się ludzkich odruchów poza tym, żeby wydawał nowe płyty. Ten facet wyleczył się z człowieczeństwa i ma do tego prawo. Jest awangardowym artystą totalnym. Większość kobiet, zaplątanych w rejony tak odjazdowej kreacji, sprowadza na ziemię problem prokreacji. Ku uciesze publiki, sugestiom i pytaniom w wywiadach: „Czy planuje pani dziecko? A może zerknęłaby pani wreszcie na swój zegarek (biologiczny), tykający jak bomba zegarowa, podłożona przez fizjologicznego szantażystę?" Oczywiście, macierzyństwo można wykorzystać do stworzenia wizerunku „ludzkiej artystki". Matki, czule tulącej bobaska, wypinającej dumnie brzuch: „Jestem nie tylko gwiazdą, ale i kobietą". Okładki pism obwieszczają narodziny dziecka sławy. Za ciężkie pieniądze kupują na wyłączność zdjęcie słynnej mamy z maleństwem. W ten sposób pokazuje się w mediach czy raczej w medialnym cyrku nowo narodzoną niewinność i jakże ludzkie, normalne szczęście matki. Coś jest w tej obopólnej grze nieuczciwego. Z jednej strony czyhanie na sensację, z drugiej – genetyczny ekshibicjonizm: „Uwaga, rozmnażam się!" Wyjątkami w traktowaniu brzemiennego problemu są dwie amerykańskie gwiazdy – tak zwane samice wyrodki (zdaniem publiki godne ubolewania); ćpająca Courtney Love, traktująca swą ciążę jak wzdęcie, i Jodie Foster, pretendująca do dzieworództwa. Obydwie urodziły zdrowe córki. Mam nadzieję, że gdy dziewczynki dorosną i przyjdzie ich czas na rozwiązanie (pewnych problemów), medialny dwór nie zacznie się snobować na tradycję prawdziwych, arystokratycznych dworów, gdzie porody królewiątek celebrowano publicznie.

Półlesbijki z haremu

Jedno zdanie leadu bardzo jest potrzebne. A może dwa średnio krótkie.

1. Wszystkie jesteśmy półlesbijkami. Pragniemy kobiet tak, jak nas tego nauczyli mężczyźni. Absurd? Porównaj: która scena jest seksowniejsza – ta niewinna z *Gildy*, gdy Rita Hayworth ściąga rękawiczkę, czy kiedy Banderas gołym tyłkiem obija się o kraty w *Nie rozmawiaj z nieznajomym*? Hayworth, obnażając zaledwie rękę, robi najbezwstydniejszy striptiz. Natomiast podskakująca erotycznie pupa Banderasa wywołuje dreszcz niepokoju: „Oj, żeby się nie przeziębił!". Wina reżysera? Aktora? Panie nie potrafią podniecać się już samym widokiem męskiej nagości. Wykastrowano je z beztroskiej zmysłowości, jaką cieszyły się jeszcze pogańskie Rzymianki.

2. Kobiety Zachodu są wychowane w massmedialnym haremie. Jego przedsionkiem jest już szkoła, gdzie czytają męską prozę i poematy, opisujące uczucia do kobiet. Jeśli bohaterka utworu miota się z miłoś-

ci do bohatera – i tak wiadomo, że to pisarz przebiera się psychologicznie za kobietę, by „oddać głębię jej uczuć". Siłą rzeczy, heroiny szkolnych lektur są bledsze od herosów. No, może poza takimi wyjątkami, jak madame Bovary. Ale z niej też żaden prawdziwy wyjątek, bo Flaubert w przypływie szczerości wyznał: „Madame Bovary to ja". Oczywiście przesadzam, genialny pisarz znakomicie udaje kobietę, na przykład Joyce monologujący jako Molly. Takie udawanki przypominają jednak starodawny teatr – tam też role kobiece odgrywali przebrani mężczyźni. Gdzie w takim razie kobieta ma się uczyć kobiecości będącej nie tylko narcystycznym (półświadomym, półlesbijskim) oczarowaniem ciałem i duszą kobiety? Gdzie podejrzeć mężczyzn, niewinnie potrenować pożądanie? Wszędzie widać zgrabne sylwetki dziewczyn. Nawet w gazetach programy telewizyjne i krzyżówki ozdabiają „kociaki". Dziewczynka uczy się, czym jest uwodzicielska zmysłowość, patrząc na reklamy, gdzie śliczna pani ociera się biustem, nogą, spojrzeniem o widza – nie tylko rodzaju męskiego. Nagi, zamroczony pożądaniem goguś nie będzie sprzedawał wozu, kobiecych perfum czy sprzętu domowego. Szkoda: chciałabym zobaczyć oszronioną lodówkę, do której sięga po piwo kobieca rączka. A z lodówki wypada przystojny hibernatus i nagi wyznaje: „Kochana, dzięki tobie nie cierpię już na oziębłość".

3. Jestem kulturową półlesbijką, marzę więc o spotkaniu mężczyzny pachnącego Chanel nr 5. Dla-

czego od faceta nie miałoby zalatywać tym samym, co od Marilyn Monroe? Przecież Marilyn uwodzi jednakowo mężczyzn i kobiety. Najlepsze filmy miłosne, na których wychowały się pokolenia „heteroseksualnych" kobiet, zrobili mężczyźni. To męskie spojrzenie pokazuje aktorkę, męska zmysłowość każe jej zdejmować powoli rękawiczkę czy rozchylać namiętnie usta w stronę męskiego obiektywu. Nie mam za złe znakomitym reżyserom, że są świetnymi facetami, fotografikom, że tak smakowicie uczą nas patrzeć na kobiece ciało, a pisarzom, że opisują miłość. Dzięki nim kobiety uświadomione, co jest *sexy*, bezbłędnie powtarzają wyreżyserowany grymas Kim Basinger, opanowują do perfekcji sztukę uwodzenia.

4. Uwodzić - znaczy wiedzieć, co podnieca uwodzonego. Patrzeć na siebie jego oczyma, wczuć się w jego uczucia. Mistrzostwo uwodzenia - to stanie się nim i nią zarazem - uwodzonym i uwodzącym. Kobieta „będąca" w ten sposób mężczyzną, by go oczarować, patrzy na kobiety jego oczyma i zostaje półlesbijką. Jakże cnotliwą i wstrzemięźliwą na umyśle, jeśli nie dostrzeże swojej androgyniczności. My, półlesbijki, zwane „kobietami heteroseksualnymi", zostałyśmy już uwiedzione przez własną kobiecość. Wierzę więc tym, które mówią, że nie stroją się i malują wyłącznie dla facetów. Dbają o siebie także z miłości do wyimaginowanego ideału kobiety doskonałej. Ona jest warta cier-

pień. Być może następne pokolenie będzie miało łatwiej i nie da się zamknąć w haremie-skansenie, gdzie z nudów piłuje się do perfekcji paznokcie. („Jestem tego warta".)

5. Lubię reklamy Calvina Kleina z czasów CK ONE, biseksualnych perfum i ciuchów. „Calvinizują" modę i obyczaje. Podobnie jak purytańscy wyznawcy kalwińskiego reformatora, współcześni „calviniści" są przesadnie skromni i oszczędni w strojach. Minimalistyczny *design* podkreśla czystość formy lub gatunku (wszyscy jesteśmy ludźmi) i tuszuje trzeciorzędne cechy treści (niektórzy z nas są kobietami albo mężczyznami). Uniseks Kleina daje wolność wyboru. Nie jest seksualną rewolucją, ale demokracją znoszącą niewygodne granice, uwalniającą z obyczajowego haremu. Jeśli przyszłość świata należy do demokracji, należy też może do uniseksu.

Wiek męski
wiek klęski

Tegoroczny sylwester tylko pozornie będzie huczną imprezą na cześć kalendarza. Rozbawione miliardy ludzi sypiących konfetti, oplątanych serpentynami, tak naprawdę będą się cieszyć, że udało się im przeżyć. Dzięki sprytowi czy szczęściu dziadków, rodziców albo własnej zaradności. Okazję do załapania wyroku (historii) na froncie, w obozie lub domu miał niemal każdy, niezależnie od kontynentu i daty urodzenia. Sylwester 2000 – gigantyczna feta dla wybawieńców dziejów. Należy się im więc zabawa, do której dotrwali wbrew dwudziestowiecznym tyranozaurom i geopolitycznym horrorom okoliczności. Sama z przyjemnością zatrąbię i strzelę z korkowca, by pokazać (komu? Bogu i Historii? czy Telewizji?), że mimo wszystko żyję. A jak, i to jak! Mogę przecież korzystać z rad kolorowych pism, mówiących, jak żyć i pachnieć. Typujących Schwarzeneggera w plebiscytach na ulubione zwierzę. Natomiast wokół mnie sami imponentni (od słów „imponować" i „potencja") mężczyźni, po prostu współczesne ideały na prozaku, koniaku i viagrze.

1. Za dużo jak na przeciętną wyobraźnię było w tej epoce masowych zbrodni i zbiorowych grobów anonimowych ofiar. Dlatego nasza kultura (masowa) uwielbia pojedyncze i sławne trupy: Diana, Kennedy, Marilyn Monroe. To są współczesne legendy o ładnych, świeżych trupach (zginęli w „kwiecie wieku"), którymi żywi się nasza padlinożerna fantazja, wychowana na faktach XX wieku.

Czy nie z tego powodu, że uwielbiamy fotogenicznych nieboszczyków, *Angielski pacjent* stał się sentymentalnym hitem końca stulecia? Jego bohater miał pecha i spalił się z miłości oraz benzyny po uwikłaniu w szprychy historii. Nie wiadomo dokładnie, czy był rzeczywiście szpiegiem. Każdemu z nas mogłoby się coś takiego przytrafić: miłość, wpadka z Historią, proces o szpiegostwo (niekoniecznie od razu cały proces moskiewski, ale nieco mniejszy donosik, lustracja, podejrzenie o nieprawomyślność). Juliette Binoche za rolę pielęgniarki, opiekującej się tytułowym poparzonym „pacjentem", dostała Oscara. Tylko za rolę, a nie za odegranie ideału kobiecości? Binoche podkochuje się w facecie będącym przystojnym trupem, niezdolnym już do niczego. Podaje mu śniadanie, morfinę i dba o niego jak matka. Który z panów nie marzyłby o takiej „towarzyszce życia"? Ładnej, zgrabnej i poświęcającej się dla męskiego, wypalonego trupa. Przepraszam, panowie, być może przesadzam, nie jesteście aż tak wymagający (co do wyboru partnerki) i bezkrytyczni (względem siebie samych). Ale czy coś się zmieniło w waszej mentalności od patriarchalnych, biblijnych czasów? Co prawda, wtedy płeć wybrana była obowiązkowo obrzezana. Bo Stwórca na pamiątkę waszych wyjątkowo bliskich z nim stosunków kazał się wam pozbyć kawałka skórki. Tylko bezbożnym i zazdrosnym (oczywiście o porżniętego fallusa) kobietom mogło przyjść do głowy, że obrzezanie to totemiczny wygłup. Albo zabieg higieniczny, a nie ślad po miłości Stwórcy, który zrobił wam kosmiczną laskę i na pamiątkę odgryzł końcówkę.

Patriarchowie długo podtrzymywali tezę o waszej wyjątkowości, ale w XX wieku ogłoszono koniec patriarchalizmu. Przecież XX jest zapisem żeńskiej pary chromosomów, a nie męskiej XY. Być może ta genetyczno-kalendarzowa symbolika ośmieliła kobiety do pierwszego sensownego ruchu przeciwko męskiej dominacji, czyli do feminizmu. Sensownego ruchu, którego jednak nie wykonałam. Może dlatego, że za bardzo kocham tatusia? Lecz w roku 1999 panowie nadal zarabiają więcej od pań i nawet jeśli nie należą już do płci wybranej, to sami się wybierają na intratne stanowiska.

2. Sądzę, że postęp w medycynie, szczególnie w chirurgii, jest zasługą dwudziestowiecznych wojen, dostarczających w nadmiarze zmasakrowanych ciał

i innych resztek tkanek, tak przydatnych chirurgom. Frontowi (stacjonarny front lat 1914–1917) koledzy mojego dziadka z urazami twarzy mogli w najlepszym razie liczyć na „przeszczep włoski". Polegał on na przywiązaniu beznosej twarzy do specjalnie wyciętej rany w ramieniu. Po kilku tygodniach ziejąca dziura po nosie zatykała się odrobiną tkanki z ręki. Ci bez szczęk mieli mniej szczęścia i do końca życia łykali papkę. Michael Jackson, podejrzewam, nie ma w ogóle twarzy, a mimo wszystko ma nos, usta podtrzymywane kilkoma szwami. Czy nie jest to rewelacyjnie widoczny postęp niewidocznego? W przeciwieństwie do rozpowszechnionego w tym wieku niewidocznego postępu tego, co najwidoczniej potrzebne: humanitaryzmu, sprawiedliwości, demokracji...

Wracając do frontowej gangreny i amputowania członków. Kiedy findesieclowe damy, cierpiące na kobiecą przypadłość – histerię (czyli stwardnienie macicy) – poddawały się zabiegom rozmasowania ściśniętego histerią seksu, lekarz używał narzędzi fallicznego kształtu. Zabieg był udany, zaś dama usatysfakcjonowana, gdy masaż kończył się spazmami, okrzykami: ach! i och! oraz popadnięciem w typowy po takim wstrząsie błogostan. Zazdrość męża o przyrządy lekarskie do masażu byłaby równie absurdalna, jak zazdrość o lancet, dobierający się do wnętrza współmałżonki podczas operacji. Zazdrość o paramedyczny orgazm?

Niemożliwe, gdyż ówcześnie nie było kobiecego orgazmu, tylko histeria. Później w falliczny przyrząd wmontowano baterie. Reklamówki firm wysyłkowych z lat pięćdziesiątych–sześćdziesiątych dla gospodyń domowych polecały masować nim twarz. Potem falliczny kształt utypizowano na wzór i podobieństwo męskiego członka. W ten sposób kobiety dostały do ręki (i nie tylko) kawałek męskiego ciała o nazwie wibrator. Chociaż słuszniej byłoby nazwać go zgodnie z funkcją samojebem, bo służy chyba do tego, a nie do masowania twarzy, dziąseł czy wibrowania. Na czym polega dalszy, dwudziestowieczny postęp samojebów? Na tym, że podwójny członek do synchronicznego używania przez dwie panie produkuje się specjalnie dla lesbijek. Biedne lesbijki, tak brzydzące się mężczyzną, kupują w sex-shopach ochłap męskiego ciała. Nie jest to ledwie zaznaczony falliczny kształt, jakim pocieszały się wyuzdane libertynki czy damy pod koniec ubiegłego wieku. Jest to ozdobiona precyzyjnie wyrzeźbioną główką, okablowana żyłami lateksowa atrapa znienawidzonego symbolu męskiej jurności. Czy nie po raz pierwszy od czasów Safony mężczyzna kładzie się długim, fallicznym cieniem na ideale lesbijskiej miłości? Sukces mężczyzn, klęska kobiet? Raczej seksowny paradoks.

3. Zimny ocean. Noc i dryfująca lodowa góra. Naprzeciwko niej, jak wiadomo, „Titanic" z Leonardem di Caprio na pokładzie. Trach! I po wszystkim. Po-

zornie zderzył się kawał lodu z kupą niezbyt dobrze znitowanej blachy. Ale w rzeczywistości zderzyła się męskość z kobiecością. Najlepszy, największy, najnowocześniejszy statek. Chluba inżynierów, szczytowy wytwór ludzkiej (czyli ówczesnej męskiej) techniki. Symbol siły i postępu nauki, zakuty w metaliczną zbroję. Z drugiej strony ledwo odkryta (przez Freuda) i wynurzona podświadomość (trzy czwarte góry lodowej jest pod powierzchnią), biernie unoszona prądami. Bezwolna kobiecość, symbolizowana przez wodę i noc. Zmarznięta w bryłę lodu woda – to zamarznięte na lód serce *femme fatale*. Bez skrupułów niszczącej mężczyzn, sprowadzającej ich na dno. Najsłynniejsza katastrofa tego wieku i przedsmak zemsty, na jaką być może jesteśmy skazani za zgwałconą przez męską cywilizację Matkę Naturę. Owocem tego wymuszonego związku Natury z cywilizacją jest pod koniec stulecia złośliwe Dzieciątko (po hiszpańsku El Niño), wyhodowane w inkubatorze efektu cieplarnianego.

4. Dawniej historyjki i historie miały morał. Współcześnie, gdy zapanował industrializm, przerabiający głównie ludzi na przydatne śrubki systemu, liczy się pragmatyzm, czyli efekt zdarzenia. Dlatego nikt nie mówi o cieplarnianym morale, lecz efekcie cieplarnianym, będącym następstwem historii ludzkiej głupoty. I nikt nie wyciągnie z niego morału, bo z efektów (czystek etnicznych, zbrojeń, głodu) wyciąga się wyłącznie

zyski. Tak więc ludzkość skończy albo bardzo efektownie, albo moralnie. Ciekawe, kto na tym zyska.

5. Jeśli najbardziej efektowny użytek z języka niemieckiego w tym wieku zrobili Hitler i Nina Hagen, to nie mniej zasłużony jest Ludwig Wittgenstein. Ten najmodniejszy filozof XX wieku powiedział: „O czym nie można mówić, o tym trzeba milczeć". A jednak Hitler swoim wrzaskiem stworzył Trzecią Rzeszę. Szkoda, że Wittgenstein nie dogadał się z Hitlerem, gdy wspólnie chodzili do szkoły w Linzu. Byli przecież w tej samej klasie, ale najwidoczniej nie znaleźli wspólnego języka. Gdyby nieśmiały Ludwiś wpłynął wtedy na zakompleksionego Adolfka, nie doszłoby może do anszlusu i wojny. Nikt by wtedy nie mógł oskarżać innego znawcy niemczyzny, Heideggera, o faszyzujące poglądy. Język jest tradycją, być może germańska tradycja ożywa w języku, zwłaszcza w trybie rozkazującym. Austriacki Żyd Wittgenstein próbował rozbroić niemiecki, pokazując, do jakich błędów prowadzić ślepe ufanie gramatyce. Niestety, nie zdążył. Wrzeszcząca bomba zapluła Europę i świat.

6. Cmoka się nad kinem: że osiągnięcie XX wieku, że wpłynęło na epokę. Oczywiście, ale czy kino nie jest powielarką mód i stylów? W czasach, gdy wszystko, co masowe, pachnie tandetą lub masowością zbrodni, kino jest sztuką podejrzaną. Istnieje jak większość totalitaryzmów – dzięki kultowi jednostki – to znaczy gwiazd. Jest tak przekonujące, że narzuca spo-

sób życia, bycia i tycia (w tym sezonie większy biust). Miliony domorosłych Bardotek, facetów w stylu kolesiów od Tarantino. Te same gesty, garniturki, krawaty, okulary, a nawet sposób myślenia. Nudne to i przymusowe, jak... moda. Banalność i seryjność zachowań zamienia ludzi w łatwy do manipulowania tłum. Dlatego wolę współczesny balet. Nie aerobik czy *Jezioro łabędzie*, gdzie wykonywanie tych samych podskoków daje poczucie jedności gatunku (człowieczego lub kultury). Ale współczesny taniec w rodzaju Piny Bausch. Jej choreografia pokazuje, że są gesty i pozycje, do których nikt jeszcze nikogo nie nagiął i nie zarejestrował w Ministerstwie Dziwnych Kroków imienia Monty Pythona. Współczesny balet to ostatni gest wolności. Uznany za sztukę. Czy wynika z tego, że wolność nie jest demokratycznie dla każdego, lecz tylko dla artystów?

7. *Spowiedź dziecięcia wieku* byłaby literackim plagiatem, pozwolę więc sobie na spowiedź dziewczęcia, w wieku dojrzałym do wszystkiego.

Mój ojciec wygrał po pół wieku upokarzającą wojnę polsko-niemiecką. Walczył przeciwko niemieckim i polskim urzędnikom, podobnie jak tysiące emerytów i rencistów próbujących dowieść, że podczas wojny byli na przymusowych robotach, za co należy się im odszkodowanie. Kiedy w grę wchodzą pieniądze, a nie tylko honorowy tytuł „niewolnika Trzeciej Rzeszy", urzędnicy mogą być podejrzliwi. Żyjemy przecież w czasach postmodernizmu, sankcjonującego blagę i mistyfikację. Jednak mój ojciec zdołał cudem udowodnić wszelkim instytucjom, że w latach czterdziestych-pięćdziesiątych tego wieku nie wypoczywał w Davos ani na innej czarodziejskiej górze. W tym czasie pracował niewolniczo u rodziny Bismarcka. Znalazł się tam dzięki memu dziadkowi, który pierwszą wojnę światową spędził w okopach i na początku drugiej światowej rzezi nie miał ochoty, by jego synowie stali się „angielskimi pacjentami" albo „włoskimi przeszczepieńcami". Poddał się w 1940 roku, mając do wyboru niemieckie obywatelstwo i oddanie synów na mięso armatnie albo niewolniczą pracę daleko od frontu.

Przez prawie pięć lat rodzina ojca kopała buraki, odcięta od zdobyczy wojennej cywilizacji. Nie mieli pojęcia o mydle czy abażurach z ludzi. Degeneracja albo postęp były w tym wieku równie błyskawiczne, jakby możliwości regresji lub ucywilizowania wyrównały wreszcie swoje szanse.

Wracając do historii rodzinnych. Dlatego, że prawie sto lat temu jakiś Serb zastrzelił arcyksięcia, przez co dziadek spędził parę lat w okopach Verdun, myśląc o swym stosunku do historii, mój ojciec przeżył drugą wojnę światową i dostanie w roku dwutysięcznym jałmużnę odszkodowania za przetrąconą młodość. Jakby symbolicznie w ostatnim roku XX wieku spłacano długi za horror całego stulecia. Czy więc nie byłoby sprawiedliwie, gdyby podobne odszkodowanie dostała reszta ludzkości, której udało się przeżyć? W komunizmie, faszyzmie i każdym innym idiotyzmie, a także za szafą czy pod podłogą. Za dzieciństwo, młodość, starość w XX wieku, czyli za życie w skrajnie trudnych i szkodliwych warunkach ONZ powinien wypłacić wszystkim wybawieńcom godziwą rekompensatę.

Casting do filmu Wajdy

1. Na pytanie, kto w Polsce jest bohaterem naszych czasów, na miarę *Człowieka z marmuru* czy „...z żelaza", Andrzej Wajda bez wahania odpowiedział: „Kobieta". I o niej właśnie chciałby nakręcić film. Nie dodał, czy miałaby to być „Kobieta z gumy", pokornie naginająca się do okrutnych czasów i zmarnowanego życia. Niezniszczalna lateksowa lala gwałcona przez historię. Obdarzona anielską cierpliwością i żylakami. Źle umalowana, uwieczniona w ramkach rodzinnej fotografii z ustami rozciągniętymi wiecznym uśmiechem. Wiecznym, choćby spływały po nim łzy. Poddana fanaberiom losu i fanatyzmowi mężczyzn.

Jak dotąd zrobiono kilka filmów o „kobiecie z...". Były to opowieści o umęczonej Matce Polce, czyli *Matce Królów*, wstrząsająca historia *Kobiety samotnej* Agnieszki Holland i *Przesłuchanie* z torturowaną w więzieniach lat pięćdziesiątych szansonistką (Krystyną Jandą). Są to filmy martyrologiczne, bo o polskiej kobiecie z gumy, która przetrzyma wszystko. Zabory, faszyzm, komunizm, nędzę. Nie tylko przeżyje, ale i pomoże żyć mężczyznom trwoniącym beztrosko „substancję narodową" w jakimś ideologicznym onanizmie. Któż lepiej od takiej kobiecej ofiary, próbującej rozsądkiem przywrócić normalność, nadaje się na skromną bohaterkę kina? Gumowa kobieta jest oczywiście mniej fotogeniczna od seksownych gwiazd czy dinozaurów. Ale niekiedy równie opłacalna, gdyż daje szansę nominowania do nagrody za wartości humanistyczne. Andrzej Wajda myślał chyba jednak nie o szarej, skopanej przez los niewieście, lecz o prawdziwej bohaterce w stylu *Człowieka z żelaza*.

Zrealizowanie takiego dzieła to chyba zadanie wyłącznie dla niego, gdyż trzeba geniuszu, by ze zbiorowej ofiary ulepić człowieka, kobietę z marmuru. Prawdziwą gwiazdę, filmową bohaterkę godną wielkiego i kosztownego dzieła sztuki.

Gdyby miał to być film o współczesnej Polce, można by go zatytułować: „Kobieta z silikonu". O dziewczynie równie elastycznej jak jej matka i babka z gumy, ale bardziej *glamour*. Raczej w stylu cwanych panienek z *Silicon Valley* (Krzemowej Doliny) niż ckliwie plastikowej *Ani z Zielonego Wzgórza*.

2. Kto powinien być pierwowzorem polskiej bohaterki, godnej Oscara? Arcydzieła, zachowującego wartości chrześcijańskie, humanistyczne, narodowe i każde inne w zależności od koniunktury? Ktoś na

pewno zaproponuje postać Agnieszki Osieckiej. Symbol „kobiecości-poetyckości-motylkowatości". Jak motylek przysiadała na paryskiej „Kulturze", by chwilę potem odlecieć i spijać koniak z towarzyszami w Moskwie. W kobiecym, jakże poetyckim, roztargnieniu nie zauważała politycznych niuansów. Artystce natchnienie zastępuje rozsądek. A życie płynie w transie, romansie. I tak od paru lat układa się Agnieszce Osieckiej legendę z motylków, roztargnień, westchnień. Ona sama przyznała, że jej rymy nadają się bardziej do sztambucha niż do wyrycia w marmurze. Jednak z romantycznego konterfektu Osieckiej robi się pomnik. Wzorzec lekkiej jak puch kobiecości, szybującej w chmurach: ni to damy, ni muzy. Ni anioła... Od udręczonych kobiet z gumy po drugą skrajność – kobiet z puchu. Pośrodku zaś dziura niczym kobieca bezradność.

Czy bohaterką „Kobiety z silikonu" mogłaby więc zostać przysypana puchem piór „kobieta z gumy"? Po trosze poetycka i ponętna, świadoma, gdzie żyje i czego chce? Kimś takim jest polska umiarkowana feministka. Umiarkowana, bo prawdziwych feministek w Polsce nie ma. Załatwiają je mężczyźni albo zagryzają usłużne siostry (patrz przypadek grupy feministycznej na Uniwersytecie Warszawskim). Te, które przeżyły rzeź, zastrzegają się: „Możecie mnie podejrzewać o wszystko, tylko nie o feminizm". Dlaczego? Bo gdy domagały się poważnego traktowania i niezależności, słyszały od przestraszonych lub agresywnych facetów: „Milcz! Jesteś wściekłą, niedokłutą feministką". A przecież tyle jest odmian feminizmu, ile *femmes*, czyli kobiet. I każda ma własne porachunki z męskim światem.

3. Rozczulają mnie znakomite programy publicystyczne Barbary Czajkowskiej i Moniki Olejnik. Zaczynający się tuż po ósmej rano „Salon polityczny trójki" przypomina mi dzieciństwo. Kiedy mama zagadywała opędzającego się od niej, wychodzącego do pracy ojca. Natomiast „Linia specjalna" – to dalekie wspomnienie maglowania ojca pod koniec dnia. Złośliwe, celne odzywki kobiet, wypytujących mężczyzn o to, jak rządzą, czy starczy pieniędzy i jakie mają plany (czyli, na jaki skażą nas los). Gośćmi Olejnik i Czajkowskiej są ważni Polacy, tworzący ten kraj. To prawie w stu procentach mężczyźni. Więc myślę, że pomysł Wajdy na zrobienie filmu o kobiecie bohaterze to tylko dżentelmeński gest bez znaczenia. Wajda nie zajmuje się *science-fiction*. A współczesna Polka, którą chciałby sportretować, przypomina istotę z krainy *fantasy*, dużo rozciągniętej historycznym doświadczeniem gumy, upiększającej wstawki z silikonu i do tego pypcie ze spalonych piór.

II

Linda w roli Lindy

Umówić się z Bogusławem Lindą to trafić na jego dzień bezpłodny: bez filmów, wyjazdów, przyjazdów, ważnych terminów, którymi zasmarowany jest czarny kalendarzyk narodowego idola. Dzwonię: 090 21 656 itd., może tym razem...

– Hallo, panie Bogusławie, spotkamy się?

– Pani zadaje mi zawsze tak kłopotliwe pytania.

– No to pytanie niedyskretne: gdzie i kiedy?

Gdzie – wiadomo, jedna z warszawskich kawiarni, w której cena za spokój i dyskrecję wliczona jest w astronomiczny rachunek.

Linda kończy spotkanie z Andrzejem Dorosiewiczem, producentem *Psów*. Na stole, między popielniczkami, nowy scenariusz Pasikowskiego, skrypt Harasimowicza do filmu *Laguna*. Panowie rozmawiają o warszawskich zamachach bombowych. Dorosiewicz jest zniesmaczony tą formą zabijania: „Żadnej w tym elegancji, trupy poszatkowane jak hamburgery z McDonalda". Wychodzi, współczując Lindzie: „Nie cierpię wywiadów, bo nie lubię słuchać tego, co mówię".

Zostajemy sami plus magnetofon.

Też nie lubię wywiadów, bo niby wszystko intymnie, OK, a tak naprawdę to na oczach tysiąca czytelników.

BOGUSŁAW LINDA: Nie ma co się przejmować, wywiady to nie najważniejsza rzecz w życiu, po której wali się samobója.

A co jest najważniejsze?

Dla mnie rzeczy męskie: poczucie humoru, honoru.

Inne rzeczy na „h"?

Również.

Używa pan prezerwatyw?

To sprawa intymna.

Nie wiedziałam, że współżycie z prezerwatywą...

Jak ktoś chce się zarazić AIDS, to jego prywatna sprawa, byle nie roznosił tego dalej.

W porządku, przyjemniejsze sprawy. Gdyby był pan kobietą, jak uwodziłby Bogusława Lindę?

Wy i tak robicie to lepiej, nie sądzę, żebym wynalazł coś nowego.

Nie rozumiem, może nieco więcej szczegółów?

Dałabym trochę gorzały, to dobry sposób.

Aha, monopol na Lindę. Podobno modne są spódnice i pończochy na podwiązkach?

Lubię spódnice w szkocką kratę, ale czy bym w takiej chodził? Do wszystkiego można się przyzwyczaić. Przecież moim ulubionym filmem jest *Pół żartem, pół serio*, fantastycznie chłopaki w nim grają. Noszenie pończoch jest dla facetów łatwiejsze, bo pończochy lepiej się trzymają na owłosionych i muskularnych udach.

Niestety, nie jestem gejem. Lubię z gejami rozmawiać. Najpierw jest to próba przełamania psychicznego: czy będę obiektem rozmowy erotycznej, czy po prostu zostaniemy przyjaciółkami.

Dwóch bzykających się facetów jest dla mnie czymś dziwnym. Natomiast dwie kobiety, czemu nie.

Nie wierzę w lesbijki. Jeżeli kobieta ma do wyboru zupełnie dennych facetów albo superbabkę, to może wtedy... Co do układów męsko-męskich. Ma pan ten sam ideał kobiety, co pan Pasikowski: Lidkę Popiel. Jak panowie sobie z tym radzą?

To nie jest trójkąt, ale czworokąt, bo dochodzi jeszcze do tego tandemu aktorsko-reżyserskiego operator Marek Edelman, on jest jedynym prawdziwym facetem w tym związku.

Nie wiem, czy pan sobie z tego zdaje sprawę, ale jesteście awangardą New Age'u; jungowska mandala - trzy elementy męskie i żeński, szczyt rozwoju i doskonalenia duchowego.

Więc znowu trafiłem, co powiem, to sukces.

Co do New Age'u, jak Panu smakują ekologiczne halucynogeny: grzybki, trawka?

Kiedyś na strychu Starego Teatru zdrowo się upaliłem. Chwyciłem za węgiel i narysowałem na ścianie piękną, realistyczną twarz kobiety. Nigdy wcześniej jej nie widziałem. Nad ranem uśmiechała się do mnie, więc pomyślałem, że jestem artystą. Ale nigdy więcej nie udał mi się żaden rysunek. Miałem tylko halucynację, że jestem artystą. Halucynogeny są nie dla mnie, one rozpuszczają, a grać można tylko w nerwach, na kacu. Wolę gorzałę.

Kiedy ogląda się dobre filmy, zapomina się, że grają w nich aktorzy, wierzy się, że to autentyczne postacie. Jak to jest po drugiej stronie ekranu: wierzy pan, w momencie, gdy rusza kamera, że jest pan Saint-Justem, Franzem Mauerem?

Nie wierzę, że tak bywa. Chociaż zdarza się czasami. Może na siodle, w kostiumie z epoki, w dziwnym miejscu. Dziwny stan, jakby wcielenia w kogoś innego. Cholernie archetypiczne.

Polityka to też archetyp.

Ale rządzą nami idioci, mnie to nie przeszkadza, póki mi nie przeszkadzają.

A wizualnie nasi idioci panu nie przeszkadzają?

Wizualnie owszem. A propos wyglądu, chciałbym sprostować to, co kiedyś napisano o mnie w „Elle": że kokietuję niedogolonym zarostem. Ja mam taką elektryczną maszynkę, którą się człowiek goli w sekundę i ona właściwie nie goli.

No to po co się nią golić?

Ona utrzymuje krótki zarost, kupiłem ją od mojego fryzjera. Przelatuje się nią raz, bez mydlenia. I chciałem zaznaczyć, że wyprzedziłem Mickeya Rourke, to był mój patent. Pierwszy zarośnięty film to *Gorączka* i od tego czasu się nie dogalam. Czasami musiałem się do jakiegoś filmu ogolić, na przykład do Kieślowskiego, bo trudno zagrać u niego z zarostem, to nie pasuje. Tak jak są przyjęcia „pod krawatem", tak i bywają filmy, do których wstęp bez porannej toalety jest wzbroniony.

Z Pasikowskim tworzycie dość mocny tandem, jak z filmów Tarantino.

Chyba nie. Jesteśmy bardzo wrażliwymi chłopakami i jak się dwóch nadwrażliwców spotka na świecie, to się mogą dogadać, a że ludzie sobie wyobrażają kompletnie co innego... że jesteśmy mocnymi facetami na przykład. Nie jesteśmy żadnymi mocnymi facetami, tylko jesteśmy... prawie dziewczynkami.

Rzeczywiście, patrząc na Franza Mauera, miałam zawsze przypływ uczuć macierzyńskich, bałam się, że się skaleczy, rozwali komuś łeb, zanim wypije szklankę mleka. Widziałam go raczej jako nieokrzesanego chłopczyka, ale dziewczynka-rozrabiara, czemu nie, jeśli urocza... Po hiszpańsku „linda" znaczy ładna.

Wiem i miewam z tym kłopoty. W zagranicznych samolotach muszę szukać się na liście kobiet.

Imię Bogusław nikomu nic nie mówi, a Linda to jakaś ładna pani.

> *Czy...?*

Nie lubię odpowiadać na to pytanie, bo...

> *Rozumiem, rozmowa prywatna.*

„Elle" 1995, nr 9 (czerwiec)

Reklama jest martwa, ale się uśmiecha

Tylko nieprofesjonaliści wiedzą (i widzą), że Oliviero Toscani, najsłynniejszy fotograf reklamy, tak naprawdę nie zajmuje się reklamą. Jego kampania dla firmy Benetton to jeden aktualny obraz-szok i jeden slogan „United Colors of Benetton". Toscaniemu zarzuca się, że epatuje okrucieństwem, nędzą. Jego afisze są zrywane i palone. Potępiony przez polityków zarówno lewicy, jak i prawicy oraz przez Watykan za wykorzystywanie śmierci w celach reklamy, uważa, że nie narusza żadnych wartości. Według niego wartości i ludzi zabija się nie na plakacie, ale na wojnie.

Oliviero Toscani chce wytoczyć reklamie proces norymberski. Za co? „Za zbrodnię trwonienia olbrzymich pieniędzy, za zbrodnię nieużyteczności społecznej, za zbrodnię kłamstwa, za zbrodnię przeciw inteligencji, za zbrodnię przeciw twórczości, za zbrodnię grabieży, za zbrodnię nietolerancji i rasizmu".

Na reklamy Toscaniego czeka się jak na premierę filmową. Co nowego? O czym? Kto będzie zachwycony, kto obrażony? Artykuły, wywiady, dyskusje ustalające ranking poglądów. Na spotkanie z Toscanim też musiałam czekać. Umówiliśmy się 17 października o 9 rano w jego paryskim biurze. Wtorek. Pokonałam sztafetę barów i bistr: 8.45 kawa, 8.50 bagietka w kolejnym bistrze przed biurem. 9.00 – jestem na miejscu. Żadnej tablicy, wizytówki. Dziewiętnastowieczny budynek na obrzeżach Marais, paryskiej dzielnicy chasydów i homoseksualistów. Siadam na białej kanapie, naprzeciwko ściana, a z niej wpatrzone we mnie oczy, wycięte z gazety. 9.30, Toscaniego nie ma. Do biura schodzą się młodzi ludzie w swetrach i dżinsach, stukają na komputerach, przerzucają stosy czasopism. 10.00, Toscaniego nie ma. Są fragmenty jego wywiadów, które ze sobą przyniosłam: „Moje zdjęcia drażnią, bo pokazują to, o czym ludzie chcą zapomnieć, zapomnieć dla wygody sumienia. Gdyby skrwawione ubrania zabitego bośniackiego żołnierza, użyte do jednego z moich plakatów, były nieprawdziwe, nie byłoby całego skandalu. Przecież rekwizyty, atrapy nie drażnią. Reklama powinna pokazywać gadżety, a gdy próbuje sięgnąć po prawdziwy świat, budzi sprzeciw. Żyjemy jednak naprawdę, nawet jeśli chcemy otaczać się nieprawdą, złudzeniami bezpieczeństwa, piękna". Pod zdjęciem skrwawionych ubrań deklaracja: „Ja, Gorko Gagro, ojciec zabitego Marinko Gagro, urodzonego w 1963 roku w Blizanci, region Citluk, wyrażam zgodę, żeby imię mojego syna oraz wszystko, co po nim pozostało, było użyte w imię pokoju i przeciwko wojnie". Pod innym zdjęciem-plakatem, na którym wychudzony człowiek umiera na AIDS, nie ma podpisu. Po prostu Pieta XX wieku. Półtora tysiąca lat temu cesarz Konstantyn przyjął chrześcijaństwo, gdy doznał proroczej wizji krzyża i usłyszał głos: „Pod tym znakiem zwyciężysz". Teraz takim cudownym znakiem jest na przykład logo coca-coli, obiecującej zdrowie, relaks, wspaniałe życie... i wierzą w nie miliony ludzi. Reklama zastąpiła wiarę. Toscani jest jej heretykiem i obrazoburcą. Jedno z jego wyznań w kolorowym tygodniku dla intelektualistów: „Żyjemy w strachu. Jesteśmy postludzkością i nie akceptujemy innej prawdy niż ta, pojawiająca się w telewizorze. Prawda to obraz i on jest współczesną dyktaturą. Wkrótce wyprodukują telewizory z dziurą, z którą będzie można kopulować. Już niektórzy doznają erekcji, patrząc w telewizor".

Patrzę na zegarek pokazujący nie tylko godzinę, ale i stopień mojej zamożności (gdyby to był rolex) albo snobizmu (swatch), jakby zapewne pomyślał spóźniający się już 70 minut Toscani. Nareszcie przychodzi. „Strasznie się spóźniłem – mówi zdenerwowany – ale w metrze wybuchła bomba. Byłem uwięziony godzinę w tunelu. Rozerwany na pół wagon, ranni, nie wiem, czy ktoś zginął. I najgorsze – strach, że w tunelu może wybuchnąć następna bomba". Obraz jak z reklam Benettona, widziany oczyma i obiektywem Toscaniego: ludzki ból i szaleństwo, czyli ludzka codzienność, podpisana na plakacie „United Colors of Benetton". Przechodzimy do pokoju, gdzie na stole leży sterta luksusowych czasopism. Toscani przegląda ilustracje, jakby chciał zapomnieć o obrazach z metra. Nie zadaję pytań, patrzę. Jestem tu po to, by poznać fotografa, człowieka, dla którego świat zawiera się w spojrzeniu, nie w słowach.

OLIVIERO TOSCANI: Proszę spojrzeć, jakie to brzydkie – podsuwa mi czasopismo otwarte na eleganckiej sesji ze znanymi modelkami. – Zarzucają mi, że korzystam z nędzy, angażując do reklam biednych Palestyńczyków czy Chińczyków. Ale ja im daję to, czego nie może dać żadna organizacja humanitarna – pracę i poczucie godności. Nędza świata to podział na tych, co są top modelami, i na tych, co są na dnie. Nędza to pokazywanie innym kobietom, że nie będą nigdy tak piękne jak Claudia. To jest świat Lagerfelda, Chanel, nie mój...

Czy Claudia Schiffer, jej twarz, jest tym samym, co napis „United Colors of Benetton"? Firmą potwierdzającą, że sprzedawany towar, na przykład ubrania czy odkurzacze, jest doskonały, bo ona jest doskonałym spełnieniem marzeń o idealnej kobiecie?

Przecież ona wcale nie jest piękna, mogłaby być marzeniem Trzeciej Rzeszy defilującym w kostiumie kąpielowym przez podia świata. To po prostu rasizm.

A Naomi Campbell?

To też rasizm.

Był pan kiedyś jednym w najlepszych fotografów mody w „Vogue" i „Elle".

Dawno, dawno temu, kiedy robiło się zdjęcia dla ich piękna, a nie dla modelek. Pierwszy zrobiłem zdjęcie Schiffer, kiedy jeszcze była nieznana. - Toscani przerzuca kolorowe czasopisma, odkłada je z niesmakiem. - Czemu w pismach kobiecych pokazują ładne, ale zupełnie nieinteligentne twarze i robią z nich wzory do naśladowania dla całkiem rozsądnych kobiet? Kobiece pisma ogłupiają. Jakie oni pokazują wzory życia, myślenia! Przecież to zupełnie nieprawdziwe.

Konsumpcja jest czymś prawdziwym. Pożera nas samych.

Owszem, świat dzieli się na to, co prywatne, i na to, co się produkuje, co publiczne. I ta publiczna część ma zawsze reklamę. Obłąkaną reklamę, pokazującą kiczowate bzdury: zadowolone dwudziestoletnie matki i tak dalej.

Ale reklama jest konwencją, ozdobnikiem, czymś w rodzaju sztuki, a sztuka nie zawsze musi mówić prawdę. Nikt nie traktuje reklamy jak przykazań.

Reklama powinna być rzeczową informacją. Dlaczego jakiś samochód jest lepszy od innego, a nie walce Straussa i galopujące konie... O koniach wolę obejrzeć film przyrodniczy. Taka reklama jest kłamliwa, już jej założenia są kłamliwe. Przychodzi facet do biura reklamowego i obojętne, co by miał do sprzedania, reklamiarze tak to będą sprzedawać, jakby ogłaszali odkrycie kolejnego cudu świata. Byle zarobić.

Pan pracuje dla Benettona.

Ja nie pracuję dla nikogo. Mogę wyrazić, co chcę, na największych formatach bilboardów. Jest Benetton, ale mógłby być ktoś inny, korzystający z moich pomysłów. Nie reklamuję rzeczy, korzystam z reklamy, by pokazać świat taki, jaki jest.

Ubrania Benettona są dla ludzi młodych i pan kieruje się tym zaleceniem rynkowym, pańska reklama jest przeznaczona dla ludzi młodych: antyrasizm, walka z AIDS.

Dla ludzi młodych duchem.

Szydząc z reklamy, stworzył pan własną reklamę.

Mam szczęście korzystać z autoironii.

Czy w takim razie jest pan jednak reklamiarzem, czy moralistą nawracającym świat z bajek na słuszną drogę informacji?

Jestem antropologiem współczesności, jestem dziennikarzem przekazującym wiadomości.

Dziennik telewizyjny robi to szybciej i dokładniej.

Ale często kłamie.

Co pan robił w roku 1968?

Sztukę. Krążyłem między Zurychem a Londynem. Sześćdziesiąty ósmy nie był wybuchem nowego. Był końcem prawdziwego buntu, a ludzie niezdolni do niczego wzięli się wtedy za politykę.

*Na każdym z pańskich plakatów jest zielony pro-
stokąt z napisem „United Colors of Benetton". Co to dokładnie znaczy?*

*Naklejony na obraz zakrwawionej koszulki,
umierającego na AIDS czy scenę porodu jest podpisem w rodzaju: „Zobaczone i potwierdzone przez Benettona"? Świa-
dek czasów czy logo wciskające się nachalnie na szokujące,
przyciągające obrazy?*

Przecież pani, rozmawiając ze mną, też działa pod jakimś szyldem, konkretnie „Elle". Z tą różnicą,
że pani tego wywiadu ze mną nie wydrukują. Benetton
nie jest lubiany przez wydawców, bo się prawie wcale
nie reklamuje w prasie. Fiat wydaje dziennie na reklamę
tyle, ile Benetton w trzy lata. Ale kto pamięta hasło rek-
lamowe Fiata?

Załóżmy, że jednak wydrukują.

Bo Benetton kupił reklamę w „Elle"?

*Nie kupił. Lubię to, co pan robi, i mam ochotę pa-
na zareklamować. Wydaje pan książkę* Reklama jest mart-
wa, *ale się uśmiecha, plany na przyszłość?*

Zaraz padnie pytanie, czemu żeruję na nędzy
świata, albo coś w tym rodzaju. Ja już dość powiedzia-
łem. Proszę przejrzeć nasze pismo „Colors", tam są
podpisy, komentarze. A reszta to obrazy. Czy staliśmy
się analfabetami, czy trzeba objaśniać obraz? Basta,
patrzmy i milczmy!

Harlequiny dla intelektualistów

Entuzjastyczną przedmowę do pani książki My zdies' emigranty *napisał Czesław Miłosz.*

To był poniekąd przypadek. Był rok 1990 i nie mogłam znaleźć wydawcy swojej prozy. Wysłałam ją więc do pana Miłosza, prosząc, by ten wskazał mi właściwą oficynę. Tymczasem znalazł się wydawca, a jednocześnie Miłosz przysłał ciepły list. Wydawca dał mi wtedy do wyboru: „Albo książka z przedmową-listem, albo nic". Nie chciałam zostać z przedmową do książki.

Miłoszowi mogło się spodobać, że pisarka w pani wieku nie wchodzi w ciąg „polskich przeklętych pytań". Mówi pani, że pisze „harlequiny dla intelektualistów".

Po prostu piszę zarazem o erotyce i ezoteryce, dla mnie to niekiedy jedno. W Polsce o seksie pisze się tylko w niektórych harlequinach, o ezoteryce prawie wcale. Kiedy ktoś nakłada te sfery, czytelnik ma wrażenie kontaktu z literaturą dziwaczną, wobec której nie umie zająć stanowiska.

Nic dziwnego, tarot ani dylematy paryskiej cyga-
nerii nie należą do zasobu tradycyjnych polskich tematów.

A czy myślenie jest tematem polskim? Ja wprawdzie urodziłam się w tym kraju i tu kończyłam szkoły, ale nie mam zamiaru składać deklaracji, czy i na ile czuję się Polką. Mogę powiedzieć, że nie lubię na przykład Mazowsza, za to lubię Prowansję i Bieszczady. Polskość w ogóle nie jest dla mnie ani barierą, ani komplementem. Piszę dla ludzi i boli mnie, kiedy – obojętnie: Włosi czy Polacy – nie rozumieją mojej literatury. Po co takie usilne krajanie współczesnej literatury, jeśli jest na dobrym poziomie, na „podliteraturę" szwedzką, polską, francuską? Polska nie jest „podkrajem", gdzie pisze się „podliteraturę" dla „podludzi". Jeżeli można myśleć całym mózgiem, to dlaczego by nie myśleć szerzej, zamiast wciskać swoje widzenie świata między granicę na Odrze, Bugu, Łabie czy gdzieś tam.

Doktor Judym wykorzystał pobyt w Paryżu na
uzupełnienie wiedzy medycznej, potrzebnej chorym górnikom
ze Śląska. Pani bohaterka bawi w kręgach zwariowanej cy-
ganerii artystycznej.

Kiedyś w stanie wojennym usłyszałam w radiu audycję o tych „pozytywnych" młodych ludziach, którzy zrezygnowali z możliwości wyjazdu na Zachód. Jeden z nich przepisywał ręcznie *Chłopów* Reymonta. Ja nie mam najmniejszej ochoty przepisywać losów Judyma – to było dziewięćdziesiąt lat temu – ani żadnego z tradycyjnych polskich wątków, które mnie nie dotyczą: głupoty, krzywdy i biedy. Nie mam też zamiaru przeżywać rozterek z powodu pana Pawlaka – wolę już cierpieć z powodu tłustego kremu we francuskich ciastkach. Wyjechałam z Polski, żeby uciec z tego „trójkąta bermudzkiego", bo Polacy żyją w wiecznym trójkącie: Matka Boska, Matka Polka i własna matka, a ojciec na cokole albo w rynsztoku. Mnie to nie interesuje, może jestem półsierotą.

Seks w pani powieściach to nie proste rozładowanie napięcia ani finał burzliwego romansu, ale sposób wtajemniczenia w ciemną wiedzę ezoteryczną.

Gdy byłam młodsza, długo nie mogłam odróżnić słowa „erotyka" i „ezoteryka": może to kwestia podświadomości. Potem, kiedy spotykałam się z opisami scen miłosnych, drażniło mnie, że są to sceny „odmóżdżone". Tymczasem seks jest funkcją intelektu, „robi się" to także mózgiem. Człowiek jest podobno jedyną z żyjących istot, która seks może uprawiać *non stop* i myśleć także bez przerwy. Wynikałoby z tego, że ludzkość to coś pomiędzy erotomanią a przeintelektualizowaniem. Zwierzęta tego nie potrafią, więc dlaczego nie wywindować trochę tej erotyki.

Z czego pani żyje?

Z pisania do gazet; za podobne pieniądze we Francji i w Polsce. Na drugiej książce zarobiłam brutto milion złotych, a we Francji tylko w formie zaliczki dostałam za nią dwadzieścia razy więcej. Za wydanie trzech tysięcy egzemplarzy trzeciej zapłacili mi już trochę więcej. *Kabaret metafizyczny* przyniósł mi około dwóch milionów.

Rozmawiał Wiesław Kot

„Wprost" 1994, nr 31

Piszę ciałem

W jakim stopniu pani twórczość to tworzenie pewnej biografii, a w jakim jest ona autobiografią?

Każde pisanie jest kreowaniem i nie potrafię tego oddzielić od siebie. Moi bohaterowie to nie jestem ja i nie są to do końca postacie wymyślone, to jakaś alchemia słów, do której trudno się dostać.

A jak wyglądała pani biografia emocjonalna? Jakie zjawiska panią ukształtowały - książki? Filmy? Strajki? Kolejki po mięso?

Ukształtowały mnie nie tyle zdarzenia, ile sposób ich następowania. Najważniejsze dla mnie chwile to obalanie mistrzów, mitów i rzeczy zastanych. Tym był dla mnie najpierw wyjazd z Polski, potem wyjazd z Francji, a także świadomość, że jakieś postacie, które mnie interesowały, okazały się niewarte tego.

Czy mogłaby pani podać przykład obalenia mistrza?

Maria Konopnicka, gdy zrozumiałam, że krasnoludki nie istnieją.

A potem? Może wskaże pani jeszcze kogoś - poko-
nanego bądź przyswojonego?

Nie cierpię czytać prozy. Jeśli nie muszę, to nie czytam, bo z reguły nie dowiaduję się niczego nowego. Analfabetyzm w naszym kraju zaniknął, więc to, że ktoś umie pisać, nic nie znaczy.

I po prostu nie czyta pani prozy?

Nie. Jeśli nie zmuszają mnie do tego obowiązki zawodowe.

A jednak w jednym z numerów „ExLibrisu" ukazał się artykuł, w którym wymienia pani Jana Potockiego, Edwarda Stachurę i Andrzeja Żuławskiego jako pisarzy w jakiś sposób pani bliskich.

Rzeczywiście istnieją dla mnie ważne postacie. Postać pierwsza, o której pani nie wspomniała, to pisarz Abulafia. Żył w XII–XIII wieku w Hiszpanii, ale właściwie całe życie krążył po wybrzeżu Morza Śródziemnego. Był zafascynowany słowem, pojmował je bardzo mistycznie, dokonał niewiarygodnych rzeczy - stworzył w kabale całą szkołę i być może zajmował się magią, która jest ściśle związana ze słowem, bo „na początku było Słowo". On brał słowo do-słownie. Dla przyjmujących Eucharystię słowo jest ciałem i tak też było dla niego. Zginął prawdopodobnie otruty. Postać druga, Jan Potocki - też podróżnik, też tragiczna pętla żywota. Więc Potocki - też zafascynowany słowami, ich grą i znaczeniem. Gdy po raz pierwszy przeczytałam

Rękopis, poczułam niesamowitą bliskość. Stachura – podróżnik, który nigdzie nie mógł znaleźć sobie miejsca, dla niego także ważna była Francja, on traktował słowo jak chleb powszedni.

Debiutowała pani w „bruLionie". Jak pani to wspomina, czy i z tą grupą nadal czuje się pani jakoś związana?

Tak, ale ja wyrosłam z „bruLionu".

Jak pani to rozumie?

Wyrosłam z „bruLionu". Kropka.

A jednak nadal istotna dla pani pozostała poetyka skandalu i prowokacji. Co pani chce dzięki niej osiągnąć? W pani powieściach często pojawiają się elementy, które można określić mianem obscenicznych – malowanie obrazów krwią menstruacyjną, odgryzanie łechtaczki... Pierwszą książkę dedykowała pani swojemu psu, drugą swojej żonie... W dodatku na okładce zamieściła pani bardzo pochlebny list Czesława Miłosza.

Następną dedykuję samej sobie. Na pewno. A list Miłosza zamieścił wydawca, nie ja. To był warunek wydrukowania książki. Jeśli chodzi o skandal, to jest mi naprawdę bardzo przykro, że ludzie tak to odbierają. Czuję się niewinna, po prostu nie potrafię inaczej się wyrazić. Tekst bywa często metaforą, tak jak w życiu często to, co ludzie sobie robią – darowując kwiaty albo bijąc się po twarzach – także ma znaczenie przenośni. Może piszę książki symboliczne, więc potraktujmy ten skandal także symbolicznie. Czasem otrzymuję listy od czytelników poszukujących prawdy i duszy – te słowa powtarzają się najczęściej. Oni odbierają moje powieści jako książki religijne.

Uważam, że dużo bardziej skandaliczne jest życie w tym kraju. I temu nikt się nie dziwi, nikt się nie oburza. Ten kraj jest dla mnie nadal głęboko nienormalny. Sądzę, że najbardziej był sobą pod zaborami, stąd ta niezwykła erupcja talentów. Istotą tego narodu był język. A sam kraj istniał tylko, będąc otoczony granicami, sam w sobie stanowiąc cudowną rozpierduchę. I chwała Bogu, że tak jest. Bo taki kraj w świecie się przyda.

A jednak pani tu wróciła...

Nie chcę powiedzieć, że ten kraj jest upiorny – jest ciekawy, a to, co ciekawe, mnie ciekawi. Ja tu nie wróciłam, ale przyjechałam na jakiś czas. Chcę jeszcze coś zobaczyć, jeszcze gdzieś się zagnieździć. Mogę być wszędzie, gdzie mam pracę, przyjaciół i mogę pisać. Na razie jest tutaj. Tak jak kiedyś tutaj było Francją. Nie czuję się ograniczona Polską, bo ten kraj jest nieograniczonością.

Paryż w pani twórczości to miasto emigrantów. Ciekawe w tym obrazie jest to, że brakuje w nim tej „wielkiej", polskiej emigracji. Dlaczego?

Co znaczy wielka?

Biorę to słowo w cudzysłów... Miałam na myśli środowisko „Kultury", jeszcze do niedawna – „Zeszytów Literackich".

Ale to ja jestem teraz wielka emigracja. Paryż nowy, młody, prócz jednego czy dwu poetów (nie mówię tu o ludziach z „Kultury"), to jestem ja. Więc tego wcale nie brakuje.

Nie jest już chyba pani emigrantem...

Ja się nigdy nie czułam emigrantem. Przynajmniej od kilku lat we współczesnej Europie to pojęcie nie ma już żadnego znaczenia. Kojarzy się jedynie z Trzecim Światem.

W pani ostatniej powieści Giugiu mówi: „Prawdziwa sztuka się skończyła. Można jedynie rozwijać osiągnięcia mistrzów". Co pani myśli o zdaniu swego bohatera?

Najlepiej byłoby przeprowadzić wywiad z Giugiu, bo to on je wypowiada...

Ale jest on jednak pani kreacją...

Tak, ale jedna kreacja może powiedzieć: „kończę książkę", a druga – „a ja ją zaczynam". Książka ma dialogi, więc wszystko dzieje się w jakiejś dialektyce – tak i nie. Druga postać mówi zupełnie co innego, wtedy to jest schizofrenia. To jest dialog mnie z samą sobą. Mogę jedynie odpowiedzieć słowami innej postaci: nieprawda, poezja się nie skończyła. I od tego zdania możemy zacząć. Tak czy owak, odpowiedź na to pytanie znajduje się w książce, choć może nie jest odpowiedzią, ale pytaniem. Tyle się mówi o kryzysie w literaturze, a przecież kryzys jest permanentny, trwa od stworzenia Adama i Ewy. Roztrząsanie tego nie prowadzi do niczego. Uważam, że trzeba się skupić na tym, co ma się w głowie, a nie na szumie dokoła, bo to jest szum, bardzo pożyteczny co prawda, robiony przez ludzi, którzy mają akurat do powiedzenia to, a nie co innego.

Co pani sądzi o powieści? Czy jako gatunek w swej tradycyjnej formie, nawet najszerzej rozumianej, wyczerpała już swoje możliwości?

Kompletnie mnie to nie interesuje. O kryzysie powieści piszą ludzie, którzy przeżywają kryzys w widzeniu świata. Nie potrafią oni dostrzec tego, co się zmienia – na lepsze albo na gorsze – ale się zmienia. Wtedy nie ma stagnacji ani kryzysu. To, czy powieść się skończyła, nie ma nic wspólnego z tym, czy będę pisać, czy nie. Co się kończy? Wrażliwość? Paradoksy? Nieskończoność? Jak mam potrzebę, to piszę. Cudowne zdanie ostatnio widziałam w filmie Dereka Jarmana *Blue*: Pamiętasz przykazanie „Nie będziesz miał bogów cudzych przede mną", a mimo to zasiadasz przed pustą kartką. Zastanawiam się nad tym, co piszę w danym momencie, i musi się to dziać bez dystansu. Gdyby tak nie było, pisałabym o tym, czy powieść się skończyła, a ten problem zupełnie mnie nie zajmuje.

Budowa pani powieści jednak jest dość specyficzna, składają się na nie wypowiedzi o charakterze dyskursu naukowego, czasem felietony, ostatnią skonstruowała pani z samych dygresji, a jeśli potraktujemy do końca serio układ graficzny, to nawet z samych przypisów. Czy sądzi pani, że inaczej już pisać się nie da?

Na pewno można pisać inaczej. Pełne księgarnie książek. Jednak ja mogę się zastanawiać jedynie nad tym, czy ja potrafię inaczej pisać. Pierwsza książka – *My zdies' emigranty* – była jakimś pseudopamiętnikiem, to zbiór artykułów plus moja praca magisterska. Uważałam, że w inny sposób nie da się przekazać pewnych treści. A krytycy pisali – naturszczyk, takie pamiętniki z życia. No to druga książka była prawie klasyczną powieścią z bohaterami. Ale to też już przestało mnie bawić. Trzecią sobie napisałam w postaci przypisów, bo akurat to mnie bawi. Co będzie dalej – nie wiem. Po drugiej powieści krytycy chwalili pierwszą, po trzeciej – drugą. Dlatego to mnie nie interesuje. Ani krytycy, ani powieści. Interesuje mnie tylko paradoks i on wyznacza każdą formę – czy to przypisów, czy to klasycznej powieści. I on jest iskrą świata, punktem, wokół którego wszystko się kręci.

W pani książkach znaleźć można liczne wątki dotyczące poszukiwania żeńskiego atrybutu Boga. Grażyna Borkowska, omawiając w „Polityce" pani twórczość, włączyła ją w nurt myślenia zwany teologią feministyczną.

Jestem kobietą. Nie mam jednak nic wspólnego z żadnym feminizmem. Feminizm jest ograniczeniem. Ja uważam się za pisarza ultrawierzącego. Moje książki mówią o wszystkich wiarach i wszystkich religiach. Niektórzy mogą się śmiać, bo tam jest i chuj, i cipa, i inne „brzydkie" słowa, i ktoś coś sobie wyżera, ale

Biblia też jest pełna takich obrazów. Można ilustrować czy też opowiadać o sprawach bardzo, bardzo religijnych za pomocą rzeczy nieuświęconych, osoba religijna widzi bowiem w całym świecie religijność, bez względu na to, czy to jest chuj, czy pierś Madonny Botticellego. Przy tym – ja nie szukam żeńskiego atrybutu Boga. On istnieje. Wybrałam Marię Magdalenę, bo interesowało mnie, jak zwykle, zagadnienie umysłu, czyli czaszki i mózgu. Jej atrybutem zaś jest amfora, która odnosi się do czaszki. Jestem osobą głęboko wierzącą, a nie teologiem feministycznym. Góry poruszyć nie mogę, ale wiara rusza moje pióro. Wiem, że Kościół może mieć zastrzeżenia do moich powieści, nie będzie ich polecał młodzieży, ale życia też bym młodzieży nie polecała. Ktoś może się uznawać za wierzącego, bo chodzi do Kościoła i przyjmuje komunię i nic ponadto. I to jest jego sprawa. Ja uważam, że chrześcijanin powinien coś ponadto – powinien zagłębiać się w wiedzę o wierze i w wiarę.

W pani twórczości wielką rolę odgrywa ciało...

Piszę ciałem, więc musi odgrywać... Biorę długopis do ręki, a ręka to przecież kawał żywego mięsa.

Często stosuje pani zabieg charakterystyczny dla postmodernizmu, łącząc i traktując równorzędnie fikcję literacką (w My zdies' emigranty pamiętnik bohaterki) z tekstem dyskursywnym (praca magisterska o Marii Magdalenie)...

I to jest postmodernizm?!

No, tak jakby... Obydwie formy wypowiedzi to jedynie hipotezy sensu...

To ja tego, kurwa, nie wiedziałam. Czuję się jak bohater Moliera – podobnie jak on nie wiedziałam, że mówię prozą... Pod postmodernizm można wszystko podciągnąć, to słowo działa jak wytrych. Ja mówię postmodernizm zamiast głupota. Tak zwani intelektualiści traktują to jako przerywnik, jak przecinek, dla nich ma takie samo znaczenie, jak kurwa dla prostaków. Ja jednak nadal wolę słowo kurwa niż postmodernizm.

Jednak musiała pani dokonać świadomie tego zabiegu: zetknięcia tekstu dyskursywnego z wątkiem fikcji literackiej...

Pisze się szalenie świadomie, to jest nawet nadświadomość. Moje książki są jednak w pewnym stopniu skonstruowane nieświadomie, bo nadświadomość jest nieświadomością. Nie siadam do pisania z założeniem, że ja teraz przywalę postmodernizmem. Nie. Piszę, bo mam w sobie coś do opisania, a nie ilustruję nurtu, który jedni nazywają postmodernizmem, inni dekonstruktywizmem albo dekadentyzmem... To są ilustracje do moich myśli, do mnie, a nie do teorii.

Czy zgodziłaby się pani ze zdaniem, że na przestrzeni tych trzech powieści dokonuje się przejście od optymizmu i afirmacji pewnych wartości...

Chrześcijańskich.

Tak, ja akurat miałam tu na myśli rodzinę i mał-
żeństwo w My zdies' emigranty - *do rozpadu wartości*
i pesymizmu Kabaretu metafizycznego.

Nie. Ta droga wiedzie od wartości chrześcijańskich do superchrześcijańskich. Chrześcijaństwo
wcale nie jest optymistyczne, Chrystus umarł na krzyżu
i choć zmartwychwstał, to wszystko kończy się Apoka-
lipsą i Sądem Ostatecznym. Może być wiara radosna,
ale wiedza o niej niekoniecznie.

Uważam, że rozpad - noc czarna mistyków -
dokądś prowadzi. To jest adekwatne do stanu wiary.
Można być człowiekiem głęboko wierzącym poprzez
zdanie sobie sprawy z rozpadu, z marności tego, co istnieje. I do tego w jakiś sposób prowadzi chrześcijaństwo. Mówi: uświadom sobie, że wszystko jest zgnili-
zną, rozpadem, wszystko znika, a istnieje duch czy życie
wieczne. Tak mówi chrześcijaństwo. To jest pogłębienie
wartości, a nie rozpad.

Co dla pani jest najistotniejsze w chrześcijań-
stwie?

Samo chrześcijaństwo.

W My zdies' emigranty *można zauważyć, rzecz*
jasna, będąc uważnym czytelnikiem, strukturę dwudzielną,
w Tarocie paryskim - *układ koła,* Kabaret metafizyczny
- to powieść rozpadająca się na elementy... Co będzie dalej?

Teraz może trójkąt? Może mi się świat rozpadł na trójkątne komórki? Najpierw podzielił się na
dwie półkule mózgowe, potem był mały obłęd, który

jest kołem, a następnie uwolnienie, czyli rozpad na elementy. To prawda – świat mi się rozpadł, i to zdrowo. Ten fizyczny i ten emocjonalny. Może rozpad nie jest najlepszym słowem, bo kojarzy się z ruiną. Nastąpił taki podział na części, że można coś zacząć w zupełnie dowolnym momencie i skończyć w jakimś innym. I z tych elementów, tak dowolnie zaczętych i skończonych, jak w *Kabarecie metafizycznym*, można ułożyć sobie sposób myślenia i życia.

Nad czym więc pani teraz pracuje?

Nad sobą. Prócz tego piszę scenariusz, rzecz się dzieje w Polsce, teraz, współcześnie, i jest o tym, o czym wszystkie moje książki, a więc o umyśle.

Tak właśnie określiłaby pani tematykę swych książek?

Tak. One są myśleniem, a myśli wywodzą się z umysłu, a może z mózgu – jak hormony z gruczołów. Pracuję teraz nad scenariuszem: historia dwojga ludzi zawsze czymś owocuje – jeśli nie miłością ani obojętnością, to często szaleństwem.

Dziękuję bardzo za rozmowę.

Rozmawiała Aneta Górnicka-Boratyńska

„Polityka" 1994, nr 48

Gruboskórni i obrzezani

Czy tytuł pani najnowszej książki, Światowidz, *należy traktować jako grę słów i – jeżeli tak – jak należy go odczytywać: światły widz, światowy jasnowidz...?*

Kiedyś, w dawnych dobrych czasach, Słowianie mieli boga widzącego nie tylko z góry, ale też na wszystkie strony świata, nazywano go więc Światowidem. My widzimy świat i świat nas ogląda. Jesteśmy wystawieni na pokaz w tej światowej wiosce, gdzie są odpusty od wszystkiego i targi żywym towarem. Piszę o religiach – stąd gra słów, którą pani zauważyła. Proszę czytać, jak się podoba.

To ostatnie skojarzenie z jasnowidzem narzuca mi się w związku z refleksją, że w książkach pani – a więc osoby młodej – jest mnóstwo zdań twierdzących, niemal zapewniających, a tak mało znaków zapytania i wątpliwości.

Najwięcej znaków zapytania jest w podręcznikach dla dzieci i młodzieży, na przykład: „Jaś miał dwa jabłka. Zjadł jedno. Ile mu zostało?" Wszyscy znamy te najważniejsze pytania: „Jak? Dlaczego? Po co?

Kiedy?" Próbuję więc na nie odpowiedzieć jak inni ludzie. Napisałam *Podręcznik do ludzi* (dorosłych), zawierający być może mnóstwo subiektywnych twierdzeń, na tym polega literatura. Przecież dobra odpowiedź jest niczym innym, jak prowokacją do następnych pytań.

Podwójne łechtaczki i podobne "środki rażenia" - czy nie mają zbyt wielkiej siły, skoro gros czytelników nie jest w stanie przebrnąć przez nie dalej? I czy nie jest tak, że jedyny ich efekt to narzucające się pytanie: czy Manuela Gretkowska gotuje zupę z makaronem w postaci muszelek, które kształtem śmiało mogą się kojarzyć?

Na średniowiecznych kościołach umieszczano maszkarony lub inne świństwa. W centrum Paryża jest gotycki portal z diabłem przechwalającym się gigantyczną erekcją. Te sprośności miały odstraszyć naiwnych głuptasów, a wtajemniczonych zapraszać do masońskich misteriów. To była metafora, pani pytanie chyba także, bo po raz pierwszy słyszę, że czytelników zniechęcają erotyczne kawałki. Współczesna, żywa literatura nie ucieka świętojebliwie od tak odrażającego i obcego ludziom tematu jak miłość erotyczna.

Ile dni spędziła pani w każdym z tych miejsc i czy wyprawa nie była tylko podkładką - wyrażoną stemplami w paszporcie - do napisania książki podróżniczej tak naprawdę wymyślonej w fotelu?

Witkacy po psychodeliku zobaczył całą tajemnicę bytu w pepitce. Homer nic nie widział, bo był ślepy, ale opisał niezłą historię, Borges stworzył światy nieistniejące, a ja miałam okazję opisać świat, który istnieje. Wszyscy teraz podróżują, ale większość nie jest w stanie nawet opisać, jak wyglądał ich hotelowy pokój. Młoda polska aktorka zwierzyła się wzruszająco kamerze, że po trzech miesiącach nagrywania filmu w Szanghaju nie umie nic opowiedzieć o tym miejscu, gdyż nie mogła się w żaden sposób porozumieć z Chińczykami. Piszę właśnie za nią i za innych o tym „nic". O tym, jak nie mogłam się dogadać z Chińczykami, Aborygenami, Rembrandtem, Baconem oraz sąsiadką Wiśniewską, co u mnie na łódzkich Bałutach hoduje kury w rurach wieżowca na ósmym piętrze. Levi-Strauss pisał *Smutek tropików* w swojej paryskiej garsonierze, korzystając z materiałów badawczych innych antropologów, w większości kobiet. Jak twierdził: „kobieta antropolog jest w terenie pracowitsza i bardziej spostrzegawcza od mężczyzn". Jestem także żeńskim antropologiem po szkole paryskiej, nie odbiegam więc od normy.

Epatuje pani w swoich książkach erudycją, asocjacjami, konstrukcjami intelektualnymi. Czy pani zdaniem można kogoś uintelektualnić i podnieść mu IQ tak, jak „zaraża się" wrażliwością?

Przed chwilą było, że epatuję erotyką, teraz, że intelektem. Czyżbym była ogólnoludzka? Czy można zarazić kogoś wrażliwością, tego nie wiem. Jedni są gruboskórni, inni pozbawieni tej ochrony, obrzezani.

Są panienki i faceci, sypiający ze znanymi ludźmi, jakby wierzyli, że talent przenosi się drogą płciową.

Mówi się, że wrażliwość Gretkowskiej jest chora. Czy opowieści o godzinach spędzanych w dzieciństwie w zakładzie psychiatrycznym - miejscu pracy pani mamy - i doświadczeniach z narkotykami mają podsycać tego typu opinie?

Nie opowieści, tylko jedno zdanie w wywiadzie, kiedy poproszono mnie, bym opowiedziała, kim są moi rodzice. Gdy zamykano z dopustu bożego przedszkole, moja matka, jak większość kobiet, musiała coś zrobić z dzieciakiem. Przytrafiło się jej to szczęście, że miewała pusty pokój, czyli izolatkę w szpitalu psychiatrycznym, gdzie pracowała, i mogła mnie w niej przechować. Jedne rodziny, jak Buddenbrookowie Manna, przyciągają do siebie pieniądze, moja psychiatrię. Wszyscy najbliżsi pracują w psychiatryku. Nie jestem narkomanką. Eksperymentowałam z halucynogenami. Na pewnym etapie również po eucharystii miewa się wizje, ostatnio nic nie brałam. Życie wewnętrzne, do którego należą także halucynacje, jest tak osobiste, że nie rozumiem, co mogą do tego mieć cudze opinie. Bywają recenzje ze snów?

Na zarzuty o pseudointelektualizm i erudytomanię odpowiada pani, że tylko głąb nie wniknie w głąb, a krytyków nie będzie pani wyręczać w ich zadaniach. Nie daje pani zatem kluczy ani drogowskazów do odczytania swoich książek. Dla kogo więc one są? Dla pani? Rodzaj autoterapii?

To, że pani powtarza „pseudointelektua-lizm", jest ceną, jaką płacę za świadome wymieszanie te-go, co „wysokie" (na poziomie głowy), z tym, co „niskie", poniżej pasa. Dla mnie nie ma różnicy w stylu, podobnie jak dla malarza używającego tej samej techniki do namalowania całego aktu. Bycie pisarzem popularnym, bo czytanym, a zarazem elitarnym, bo wymagającym pewnej wrażliwości czy erudycji, jest zadaniem, z którym najlepszy narrator – Duch Święty – też miałby kłopoty.

Nie choruję na literaturę ani na życie, po prostu żyję i piszę, uciekając tym od bzdur. Czy ucieczka przed głupotą jest autoterapią? A jeśli nie chcę się dać ukołysać zbiorowej halucynacji? Wharton zadedykował Polakom książkę, bo są tak rodzinni. Polacy powinni z wdzięczności uznać Whartona za „tatę" narodu, bo Matkę Polkę już mają. Wbrew pozorom swobody myślimy sloganami: gazetą, telewizją. Układamy się wzajemnie jak klocki lego, żeby pasować do schematów, trendów. Świat stał się światową wiochą, gdzie każdy może słuchać najlepszych kapel, a nie podróbek. Regionalny Niuniuś, tutejsza trzeciorzędna gwiazda, jest wychwalany w dyktującej kulty i trendy „Machinie" tak samo, jak Tricky. Sądzę, że to rolowanie czytelników w kabanoski. Zupełny pasztet, mieszanie tego, co światowej klasy, z prowincjonalną tandetą, przeflancowaną i wyhodowaną w rodzimej szklarni. Przypomina to internacjonalną metodę upijania się generała Kiszczaka:

francuski koniaczek i dwa polskie piwka, żeby utrwalić. Utrwalić ten upajający szumek wielkiego świata.

Tym bardziej dziękuję za rozmowę dla naszego pisma.

Rozmawiała Anna Bimer

„Machina" 1998, nr 7

www.machina.onet.pl

Wszyscy
jesteśmy nędzarzami

Napisała pani niesłychanie bogobojną książkę.
Światowidz *rozpoczyna „W imię Ojca", a kończy „Amen".*

To taki breweriasz albo brewiarz, którego formę przystosowałam do treści.

Ale pani opisuje świat, w którym religia ponosi porażki. Świadczy o tym wymowne zdanie z pani książki: „Zamiast Dalajlamy ludzie i tak wolą słuchać Rek-lamy". Podobnie dzieje się i w innych krajach tradycyjnie uznawanych za religijne. Czy można mówić o kryzysie religii, nie tylko na Zachodzie, ale i na Wschodzie?

Trudno mi odpowiadać za całą ludzkość. Na pewno odradza się duchowość. Dla mnie człowiek jest istotą religijną. Oczywiście, można sobie nie zdawać sprawy z tego, że ma się duszę, ale człowiek często nie wie nawet, że ma tasiemca od duszy znacznie konkretniejszego.

W Maroku, dokąd też pani dotarła, nadawanych przez telewizję recytacji Koranu mało kto słucha. Tak dzieje się i gdzie indziej. Również w Polsce Telewizja Niepo-

kalanów nie ma szans z Atomic TV. Pani nie wartościuje tych zjawisk, nie ocenia ich.

Duch religijny krąży między ateizmem a fundamentalizmem. Uważam, że kto przylgnął do fundamentów, nigdy nie dojdzie do dachu, skąd może podziwiać cały świat, także Boga.

Człowiek jest religijny w swoich instynktach. To w nich zamyka się przyłbica kultury, tego wszystkiego, co mamy wyuczone. Jeśli wpada się w trans - narkotyczny, chorobowy czy mistyczny - widać, jak cofa się w nas wytresowane ego i skazani jesteśmy na własne instynkty, demony. Tego demona można ugłaskać, ucywilizować, ale on nadal żyje, pulsuje w naszym wnętrzu. Telewizja, gadżety, modlitwa - nie widzę podziału na ducha i materię, postrzegam raczej ducha materii.

Co znalazła pani na Wschodzie dla siebie samej?

To była moja pierwsza tak daleka podróż na Wschód i tam się kompletnie rozpadłam. Przeszłam niemal psychozę, regresję. W Indiach miałam wrażenie, że spotykam swoich przodków, że te dźwięki, muzykę od dawna mam w głowie. Przecież kilka tysięcy lat temu byliśmy jednym plemieniem, z którego część powędrowała na Zachód, a część na Wschód, zachowując swe rytuały. W Polsce zawsze bałam się jesienią dymów unoszących się znad pól, tej kopcącej melancholii. Bałam się, że zaraz mnie porwie do nieba, wciągnie ta smutna pustka. Być może ta pustka jest we mnie i zaczęła mnie rozsadzać w Nepalu nad płonącymi trupami. Spadła ze mnie „europatia", europejska otoczka bezpieczeństwa. Co z tego, że mam jasną skórę, jasne oczy, zachodnie gadżety, skoro w środku jestem samym instynktem, wpadającym w trans przy składaniu ofiar krwiożerczej bogini Kali? Niczym się nie różnię od Hindusów. Oni żyją bliżej ziemi i bliżej nędzy. A nędzarzami tak naprawdę jesteśmy wszyscy.

W Światowidzu podążamy za panią do Indii i Nepalu, Chin i Singapuru, Australii i na Seszele, do Maroka i Hiszpanii. W jak długim czasie odbyła pani te podróże?

Działo się to w ciągu jednego roku. Koktajl wrażeń działający silniej niż psychodeliki.

Gdzie jak gdzie, ale w Nepalu chyba pani czegoś posmakowała...

Nie tknęłam w Katmandu niczego. To, co widziałam, było o wiele mocniejszym tripem, chociaż podobnym do majaków po haszu. Podróżowanie tak intensywne ma w sobie coś z pisarstwa, bo trzeba schować swoje „ja", żeby dać miejsce postaciom, sytuacjom, wyobraźni. Na Wschodzie wyobraźnia wypływa nie z głowy, ale z ciała, z zewnątrz, dlatego jest tak zmysłowa.

Podróże kosztują. Skąd pani wzięła środki na swoje wyprawy?

Pracowałam w magazynie „Elle", gdzie miałam pisać o różnych rzeczach, a poczułam, że tego nie potrafię. O duszy owszem, o kosmetykach gorzej. Studiowałam filozofię i jestem antropologiem z paryskiej szkoły Le Goffa, interesuje mnie więc antropologiczno-filozoficzna bajka. Zaproponowałam, że jeśli redakcja sfinansuje mi podróże, napiszę prostym, zrozumiałym językiem o „poezji tego świata", czyli także o kosmetyku, będącym balsamem na duszę.

Zatem Światowidz *to zbiór takich „duchowych" reportaży?*

Nie całkiem. Książka to jednak dziki kwiat, którego nie da się wyhodować w gazetowej szklarni. Tam można rozpocząć pracę nad książką, ale nie stworzyć jej w całości.

Zaskoczył mnie jeden z rozdziałów pani książki. Myślę o pani wrażeniach z amsterdamskiego Rijksmuseum. Czy to miał być kontrapunkt dla całej tej egzotyki, dla Wschodu, który właśnie pani odkryła?

Rembrandt, Vermeer, Bacon są dla mnie bogami sztuki. Bogowie, zwłaszcza w Indiach, mają wiele imion: jednym z nich jest niszczący, obsesyjny jak Sziwa – Bacon, innym Brahma – tytan tworzenia, czyli Rembrandt, i zachowujący wieczną harmonię Wisznu – Vermeer. Może artyści są reinkarnacją piękna?

Dużo uwagi poświęca pani buddyzmowi, który zdobywa na Zachodzie coraz większą popularność. Czy istotnie – jak pani twierdzi – w swej europejskiej odmianie „kojarzony ze zdrowym sposobem odżywiania, technikami relak-

su, New Age'owym rozwojem duchowym bez dogmatów i autorytetów ma on szansę stać się światopoglądem Zachodu"?

Buddyzm jest bardziej filozofią niż religią i dlatego odpowiada zeświecczonemu Zachodowi. W Nepalu, królestwie hinduistycznym, buddyjskie „bóstwa" są czczone na równi z hinduistycznymi. W hinduizmie nie zabija się obcych bogów, nie obawia się ich mocy, lecz doskonałości. Dlatego przyjmuje się ich do panteonu, czyniąc mniej doskonałymi. Natomiast jeśli chodzi o buddyzm na Zachodzie, to jak Bóg Kubie, tak Kuba Bogu: wysyłano chrześcijańskich misjonarzy na Wschód, więc mnisi stamtąd przyjeżdżają teraz tutaj.

Także do Polski.

Ludzie interesują się mistycyzmem, który wraz z egzotyką znajdują w buddyzmie. Często nie wiedzą przy tym, jak cudowna jest literatura chrześcijańska. Zamiast Świętego Jana od Krzyża wkuwali katechizm i tak najczęściej zostaje: katolicki paciorek dla spokoju duszy, a prawdziwa duchowość z ksiąg tybetańskich. Różnią się religie, nie duchowości. Campbell opisał, jak spotkali się księża różnych wyznań i dyskusja między nimi zamieniła się w awanturę. Zaś mnisi różnych religii, także katoliccy i buddyjscy, siedzieli razem, zgodnie, w medytacyjnym milczeniu.

Z goryczą pisze pani o życiu Aborygenów. Tak zwana cywilizacja zachodnia odebrała im to, co było w nich najlepsze, co dając w zamian - piwo?

Duchowość wyrasta z ziemi do nieba, z krajobrazu – to najprostsza symbolika. Chrystus zamieniał wodę w wino, pomnażał chleb i ryby, a w Australii dzieliłby się z innymi mięsem kangura. Zachód zniszczył świat Aborygenów, przebudził ich z śnienia – *dreamtime*'u. Wierzę, że kiedyś Zachód pozwoli im znowu zasnąć. I wszyscy, czy jesteśmy buddystami, czy Aborygenami, spotkamy się w raju, gdzie jeden będzie śpiewał „Gloria", a drugi polował na bizona.

A czy pozwoli pani Polakom na jedzenie w tym miejscu schabowych?

Jeśli tak nieśmiertelny kotlet kojarzy się ze świętością i mesjanizmem, to proszę bardzo: tradycja smaczna jak każda inna.

Pytam o to dlatego, że ze swej wegetariańskiej perspektywy wyraża się pani o polskiej kuchni z wyraźnym niesmakiem.

Bo schabowy wraz z bigosem jest dla mnie symbolem tej Polski, która zatłuszczonymi paluchami brudzi nieskalane.

Ciekawe, że więcej cierpliwości wykazuje pani wobec obcych obyczajów. Do brudu panującego w indyjskich restauracjach jakoś się pani przyzwyczaiła.

Bo Hindusi mają całe misterium oczyszczenia. Zajmuje się tym kasta braminów, a u nas raz higienista, raz ksiądz i właściwie nie wiadomo, czy to walka z brudnymi łapami, sumieniem, czy głupotą.

Pani krytycyzm wobec Polski przejawia się nie tylko w kwestiach żywieniowych. Seksownym Hiszpankom z Sewilli przeciwstawia pani „nasz barchanowy folklor", który jakoby zachwycał tylko Kolberga, a dziś etnografów. Chciałoby się rzec - i dobrze: może ten barchan jest bardziej naszym wyróżnikiem niż cokolwiek innego, a i wspólnego z duchowością po polsku ma wiele.

Jestem z łódzkich Bałut i gdy widzę te krzywe domy, kocie łby, wpadam w zachwyt, bo to skansen. Ale robienie ze schabowego symbolu? To prowadzi do stawianego mi ciągle pytania, czemu mieszkam w Szwecji...

Wcale o to panią nie pytam.

Ale to pytanie wisi w powietrzu. Muszę wyjaśniać, czemu opuściłam Polskę, jakby miejsce zamieszkania było wartością samą w sobie.

A nie jest?

Nie. Wiem, że teraz wszyscy wracają do Polski, a jak wyjeżdżają, to do Hollywood, robić karierę, albo na stałe do Watykanu. Ale jak Polska wejdzie do Europy, to czy będziemy pytać, kiedy z tej Europy wróci? Proszę mi pozwolić, żebym koniecznie nie jadła tego schabowego i nie biegała w łowickim pasiaku. Większość narodu tego już nie robi.

Najgłośniejsza chyba pani książka zatytułowana była My zdies' emigranty. *Z emigrantki stała się pani „światowidzką"?*

Jesteśmy „światowidzami", bo poznajemy, oglądamy świat, a zarazem świat ogląda nas. Współczesny świat to labirynt. Postmodernizm jest duchowym kanibalem, czatującym w tym labiryncie. Zżera wszystko, co napotka, i przetrawia w jedną kulturową masę. Wybieramy się w wędrówkę po labiryncie świata, każdy z tym, co ma: schabowym, fundamentalizmem... Zaszyć się w kącie labiryntu z małą latarenką, oświetlającą parę metrów, jest OK. Natomiast wędrówka, poszukiwania nazywane są w Polsce z pogardą i kompletnie bez zrozumienia, bo bez przeżycia – postmodernizmem albo New Age'em.

Polskość może być balastem, ale cenne jest to właśnie, że nie dajemy się zunifikować, że nie chcemy rozpuścić się we wszechświatowej magmie.

A co za różnica, gdy dodamy magmy do mątwy? Proszę spojrzeć na MTV, posłuchać etnicznej muzyki, wszystko jedno skąd rodem. Totalne przemieszanie kultur. W takim świecie żyjemy i taki świat staram się opisywać, używając takiego języka, jakim on jest, cóż z tego, że niekiedy wulgarnego.

O, przepraszam, w porównaniu z innymi książkami pani Światowidz *jest nad wyraz porządny. Jedynie opisywane przez panią żółwie na Seszelach się p...*

Bo się pierdolą. Ludzie zaś mają oprócz gestów swoje emocje i tym emocjom dają wyraz, mówiąc czułe słówka albo klnąc. Woody Allen w najnowszym filmie co drugie słowo mówi „fuck"; czy to znaczy, że nie jest już intelektualistą, lecz knajakiem?

Pani książki wzbudzały dotąd aż za wiele emocji. Myślę, że Światowidz *będzie wyjątkiem.*

Bo opisywałam inny świat. Kiedy opisuję świat mniej spokojny, używam mniej spokojnego języka.

Utrzymuje się pani z pisania. To luksus.

Luksusem jest pisanie wyłącznie tego, co się chce. Kiedy jest się najemnikiem i pisuje do gazet, nie ma czasu na książki. Z kolei, gdybym spróbowała żyć tylko z książek, bałabym się, że zacznę pisać pod publikę, bo pisząc nie to, co się czytelnikom podoba, nie miałabym pieniędzy.

Dysponuje pani sporą skalą porównawczą. Jak się żyje w Skandynawii?

W powietrzu jest dużo jodu i tolerancji. Może dlatego ludzie są tam spokojniejsi?

Gdzie pani mieszka w Szwecji?

Na wyspie, na wsi. Chciałam żyć po trzydziestce na wsi. Kiedy wyrasta się z wieku rozdygotania: knajp, znajomych, kabaretów, imprez – rodzi się tęsknota za naturą. Gapię się na bażanty i łosie. Codziennie zmienia się rano mgła nad jeziorem, a nie wystawy w sklepie.

Nie miała pani trudności z adaptowaniem się w nowym, nieznanym środowisku?

To bardzo ciekawa okolica. Nad „moim" jeziorem mieszkają latem w pałacyku Kuwejtczycy.

Obok jest świątynia Hare Krishna, gdzie zawsze można wejść i się pomodlić, pogadać z przyjaciółmi. Mamy też średniowieczną świątynię protestancką, ale tę zamykają, bo to urząd Pana Boga. Jest też sztokholmski ośrodek psychoanalizy i New Age'u, gdzie przyjeżdżają szamani z Islandii. Niedaleko jest surrealistyczna siedziba steinerowców. Wszyscy znajdują sobie miejsce w tej dość ateistycznej Szwecji.

Czy po tych wszystkich podróżach, opisanych w Światowidzu*, zachowała jeszcze pani w sobie ciekawość świata?*

Nie zmieniony zachował się tylko paszport.

Ten sam, z orłem bielikiem w herbie, ptaszyskiem, będącym – jak stwierdza pani w Światowidzu *– padlinożercą.*

Przelatujemy razem granice. Mogłabym najnowszą książkę nazwać „Transgresją" lub odautorsko „TransGretkowską".

Rozmawiał Krzysztof Masłoń

„Rzeczpospolita" 1998, nr 132

Myślenie w Polsce szokuje

Jak wspomina pani swoje łódzkie liceum?

Było potwornie nudne. Tylko masochiści lubią szkołę. Nikt mnie tam specjalnie nie prześladował. Dyrektor pozwoliłaby mi chodzić nago, gdybym miała ochotę, po wygraniu olimpiady filozoficznej. W szkole niczego się nie nauczyłam i na studia dostałam się właśnie dzięki tej olimpiadzie.

Bunt dotyczył tylko szkoły, czy w ogóle kraju?

Wszystkiego, ale to były takie obrzydliwe czasy, lata osiemdziesiąte.

Czy negatywne odczucia dotyczyły także pani miasta?

Wtedy tak. Buszowałam po Łodzi jak po dżungli, polując na nocne autobusy czy tramwaje. Dopiero po wyjeździe z kraju doceniłam, jakie to fajne miasto w porównaniu na przykład z Warszawą, która jest wybetonowanym tunelem na ludzi i kanałem na samochody. Łódź to skansen, Wenecja nad rynsztokami. Genialne, puste fabryki ze zubożałymi aż do kloszardztwa właścicielami, secesyjne pałace, drewniane domy z carskimi napisami cyrylicą. Wychowałam się w takim drewniaku, przy ulicy z kocimi łbami i ściekami.

A jednak na stałe nie mieszka pani w Łodzi. To jest taka miłość na odległość?

To po prostu miejsce, które jest. Nie mieszkam też w Wenecji czy Paryżu. Nie można mieszkać wszędzie.

Jak pani wspomina swoje szkolne lektury? I jak zmieniłaby pani listę lektur z języka polskiego, żeby było sensowniej?

Pamiętam, że byliśmy katowani *Granicą* Nałkowskiej, która dotyczyła... przedwojennej skrobanki? To nie jest wybitna literatura, jest dobra. I jak to się ma do dzisiejszych czasów, skoro nie jest genialnym pisaniem? Refleksja nad skrobanką dawniej i dziś? Pamiętam *Niemców* Kruczkowskiego. Po co to komu? Te schematy? Kanon musi być, kanonem jest cywilizacja i dlatego warto czytać starożytnych, Dantego, Szekspira, z polskiej literatury Mickiewicza – żeby wiedzieć, przeciwko czemu się buntować, co olewać, a do czego wracać (*Panem Tadeuszem* zachwyciłam się dopiero na studiach). W trzeciej i czwartej klasie powinno się uczyć literatury w inny sposób: więcej myślenia krytycznego, a mniej katechizmu, czyli recytowania wykutych na pamięć odpowiedzi. Lekturą mogłyby być *Dzienniki* Gombrowicza, uczące przekornego myślenia. Powinno być więcej współczesności. Bo czy licealista z humanistycznej klasy wie dokładnie, co to jest dekonstruktywizm, strukturalizm, postmodernizm? To jest ważne w humanistyce XX wieku, a nie Orzeszkowa! Szkoła kształci uczniów, a nie ludzi. Człowiek wychodzący ze szkoły bardzo często nie umie patrzeć krytycznie, wierzy we wszystko, co przeczytał, i nie ma własnego zdania. Nauczyciel mówi: „Powtórz własnymi zdaniami", i na tym kończy się wysiłek; zamiast własnego zdania powtarza się „własnymi" zdaniami. Czemu by nie analizować programów telewizyjnych, reklam, gazet na zajęciach „obrony obywatelskiej", uczącej obrony przed manipulacją, przekłamaniami i głupotą! Przecież szkoła kształci obywateli; osiemnastolatek ma już prawo do głosowania, tymczasem uczy się go nie myślenia, lecz scholastyki. Dzisiejsza matura to odpytywanie z katechizmu.

Bardzo źle mówiła pani o Nałkowskiej... Czy tak źle myśli pani też o jej Dziennikach?

Nie czytałam jej *Dzienników*. Myślę, że dziewczyny bardziej utożsamiają się z Sylwią Plath niż z Nałkowską i ona powinna być w lekturach.

Więc Szklany klosz?

Tak, sądzę, że naszą klasyką nie powinna być mierna literatura, chociażby polska, bo lekcje literatury to już nie lekcje patriotyzmu, ale dobrego smaku. W lekturach powinien być kanon literatury światowej...

Czy czyta pani współczesne polskie powieści?

A muszę? Wolę eseje, literaturę popularno-naukową. Ostatnio z powieści przeczytałam *Ragtime* Doctorova. Świetne.

A z polskiej literatury nic, nawet przez ciekawość?

Stachura, ze względu na genialny język i jedyne w polskiej literaturze zacięcie metafizyczne. Niestety, zaciął się nim na śmierć. Poza tym *Rękopis znaleziony w Saragossie* Potockiego, z początku XIX wieku. We Francji ma swoje fan cluby.

Jeśli już mowa o sposobie pisania, pani dwie ostatnie książki: Światowidz *i* Namiętnik *wydają się zupełnie inne niż to, co pani napisała do tej pory...*

Ktoś tak napisał i wszyscy to powtarzają. Nie są inne. Zachowałam ten sam styl, obrazowość. W końcu chyba wiem, jak piszę i o czym. Pisarz nie jest tylko natchnionym idiotą, bełkoczącym w natchnieniu, a krytycy mędrcami rozszyfrowującymi ukryty przekaz.

Patrzę od strony czytelnika, zupełnie inaczej się je czyta.

My zdies' emigranty to rodzaj dziennika: wbrew temu, co niektórzy sądzą, nie jest on osobistym wyznaniem. *Tarot paryski* jest klasyczną powieścią o współczesnej cyganerii paryskiej. *Kabaret metafizyczny* – dość wyrafinowaną groteską, dla jednych filozoficzną, dla mniej oczytanych fizjologiczną. *Światowidz* – to pisanie religijno-podróżnicze. Herbert napisał dość dawno coś w podobnym stylu. W Polsce pisze się albo przewodniki, albo książki o religii. Co do *Namiętnika* – są to opowiadania kryminalno-erotyczne z przewrotką metafizyczną.

Lubię te książki, które pani nazwała prostszymi: My zdies' emigranty, *opowiadania i* Światowidza – *nie lubię traktować książki jako literackiej zagadki.*

Ja się nie bawię w zagadki literackie, nie jestem literatem.

Nie jest pani jednak obce intelektualne, czy jak piszą inni, pseudointelektualne podejście do literatury.

Przecież myślę... Dlaczego pisanie ma być samym sentymentem, wypatroszonym z myślenia?

Czy jako czytelnik też lubi pani zabawę formalną, w której nie może pani wychwycić wszystkich kulturowych cytatów, aluzji?

Na przykład Joyce'a, ale to tylko zachęca do czytania, rozgryzania zagadek, a nie gardzenia autorem, bo jest mądrzejszy ode mnie, czyli pseudointelektualny.

Z tego, co pani mówiła, wynika, że ważnym dla pani pisarzem jest Gombrowicz. Chyba nie znosi pani Whartona? Wyśmiewała pani jego dedykację dla Polaków w Historiach rodzinnych.

Wharton jest w Polsce bardzo potrzebny. Proszę nie mylić żartu, ironii, z drwiną. On pisze książki uwielbiane przez tutejszych czytelników, to są literackie sielanki (nie mam na myśli *Ptaśka*). Polska nie jest krajem intelektualnym, lecz emocjonalnym. Im bardziej sentymentalnie, tym lepiej. Bez logiki, sensu, ale rzewnie. To, co się odnosi do logiki, intelektu, nigdy nam nie leżało, bo może ten kraj nie żył w sferze logiki, tylko popieprzonej historii, gdzie wariactwo okazywało się jedynym sposobem działania. Nas musi coś chwytać za serce i być ku pokrzepieniu serc, nie ku pokrzepieniu umysłów, rozsądku. Dlatego takie kłopoty miał Gombrowicz.

To pani zdanie. Wyjechała pani na studia za granicę. Jak to się stało, że mogła pani studiować w Paryżu?

Sprzątałam hotele, podmywałam staruszki, kleiłam buty. Musiałam zarobić na studia i na siebie. Studiowałam w Wyższej Szkole Nauk Społecznych w Paryżu – jest to jedna z najlepszych, półprywatnych szkół europejskich. Jeśli ktoś ma humanistyczne zainteresowania – polecam. Wykładali tam za moich czasów Derrida, Kundera. Nie ma bzdurnych zajęć, na przykład z WF-u, lektoratów. Chodzi się na zajęcia tylko z przedmiotu, z którego pisze się pracę.

Kończy się tę szkołę jako specjalista w bardzo wąskiej dziedzinie, ale jeśli kogoś ta dziedzina interesuje, jest to świetne rozwiązanie.

Czy kiedy mówi się, że pani szokuje, jest pani prowokatorką, to traktuje to pani jako komplement?

Myślenie w Polsce zawsze szokowało. Szokowało, że można pomyśleć inaczej niż całe plemię nad

Wisłą. Pomyśleć i odważyć się to powiedzieć. Nie szokuje nikogo bandyta, miliarder, totalny kicz. Kiedy publiczność obraża artystę, to jest skandal, a kiedy artysta publiczność – to prowokacja. Sztuka niektórych prowokuje, bo jej nie rozumieją. Sztuka jest elitarna, zawsze taka była. Od czasów, gdy przestała być totalnie religijna. Kapłani to też elita. Ludziom myli się demokracja społeczna z łatwizną sztuki.

Przyzna pani chyba, że prawie każde pierwsze zdanie czy dedykacja w pani książce jest prowokacją, ma zaszokować czytelnika?

Chcę, żeby każde zdanie, i na początku, i w środku, i na końcu, przyciągało uwagę.

Przecież pisanie jest ekspresją jak każda sztuka i byłoby chybione, gdyby nie docierało do czytelnika.

Mówiła pani w wywiadach, że brała pani środki halucynogenne. Pani stosunek do nich nie jest jednoznacznie negatywny...

Dlaczego ma być negatywny? Czy ja się czymś zatrułam? (*śmiech...*)

Nie, ale chciałabym, żeby pani więcej o tym powiedziała. Wiele osób twierdzi, że są bardzo groźne. Ja nie wiem, bo nigdy ich nie brałam...

Ktoś, kto nie brał, nic z tego nie zrozumie. Miałam wspaniałe przeżycia, ale ktoś inny może dostać po halucynogenach schizofrenii i się przekręcić, albo wpaść w heroinę i zostać narkomanem. Nie ma o czym mówić, to jest bardzo prywatne. To tkwi w moich książkach. Jeżeli jest tam jakiś zapis halucynogenny, to znaczy, że to poznałam. Nie piszę o czymś, czego nie znam. Ale to bardzo intymna sprawa.

Użyła pani słowa: intymna. Czy to znaczy, że...

To jest intymniejsze niż wizyta u ginekologa? Tak! Ginekolog grzebie w vaginie, tu się grzebie w mózgu i może zaszkodzić na amen, jak się dogrzebie do duszy. Umysł to najintymniejszy zakątek, intymniejszy niż rzeczy pozornie intymne, które widać po rozłożeniu nóg. To, co wewnątrz głowy, jest najdelikatniejsze i najgłębiej schowane, i wstydliwe - na przykład marzenia. Nie będę więc nikomu w kwestiach narkotycznych radzić ani się zwierzać z psychodelicznych wizji, są przerobione w książkach.

Czy to znaczy, że nie napisałaby pani swoich książek bez narkotyków?

Mój Boże, dziwne rzeczy pani opowiada.

Ja nie opowiadam, ja pytam...

Nie napisałabym fragmentów o wizjach narkotycznych. Natomiast książki tak, bo ich tematem nie są zwierzenia ćpunki. Na pewno bez tych fragmentów te książki byłyby inne, to tak, jakbym nie była w Afryce i o niej pisała, nie zobaczyła pewnych filmów.

No... właśnie filmy. Mówiła pani, że nie lubi narracji, opowiadania, jak więc może pani chodzić do kina?

Lubię, dlatego piszę powieści i opowiadania. Ale z kinem jest zupełnie inaczej. Film jest zazwyczaj lepszy od literatury, działa na więcej zmysłów niż tylko na wyobraźnię. Wolę zobaczyć dziesięć złych filmów niż przeczytać jedną przeciętną książkę. Książka może być napisana źle, tandetnie i uchodzić za dobrą. A w filmie nie ma oszustwa, tam wszystko „wyłazi". Oczy działają u wielu osób lepiej od mózgu. Film jest dla mnie najpiękniejszą, najtrudniejszą sztuką. Dobry reżyser jest Panem Bogiem.

Na przykład?

David Lynch. Każda scena w *Dzikości serca* to majstersztyk, dialogi, pomysły, obrazy, wszystko!

Czy ma pani w ogóle taki stosunek do Lyncha? Jego film Zagubiona autostrada *to była dla mnie rzecz nie do zniesienia (zwłaszcza dla uszu).*

Bo *Zagubiona autostrada* jest efektem tego, że reżyserowi dostawało się za dobre filmy i postanowił zrobić coś pod publikę.

Lubi pani jakieś polskie filmy?

Mnóstwo. Uwielbiam *Rejs* Piwowskiego, *Rękopis znaleziony w Saragossie* Hasa, *Ziemię obiecaną* Wajdy, *Diabła* Żuławskiego. I wiele innych. W kinie bywam parę razy w tygodniu.

A polska muzyka?

Bardzo lubię kawałki Ciechowskiego. Mówię jako słuchacz, a nie znawca. Nie znam nawet nut. Jego muzyka i Steczkowskiej (on jest jej producentem) jest potwornie inteligentna, to rzadkość w tym kraju.

I teksty, i aranżacje, i sposób kręcenia teledysków. Teledysk *Oko za oko* niczego nie udawał, nie zgrywał się na MTV, był od MTV o niebo lepszy. Nowoczesny i oszczędny, z dobrym pomysłem. To samo *Mamona* Ciechowskiego. Justyna w *Oko za oko* wyglądała jak normalna, piękna dziewczyna, a nie jakieś wydumane, wymalowane straszydło. W tym kraju rzadko przyznaje się słuszne nagrody, ale ta była słuszna.

I ta prostota – ja uwielbiam prostotę, z której dopiero wynikają rzeczy skomplikowane. Dlatego też lubię Kazika, bo to, co robi, jest zwykłe i z tego dopiero wynika poezja, nastrój. Nie jakieś tam nadmuchane historie pseudoawangardowe albo pseudometafizyczne: krakowskie nastroje, długie suknie, brednie poetyckie, będące otoczką bez treści...

Nie lubię się babrać w tandecie pod pretekstem, że to poetyckie lub zabytkowe. To wszystko już było i w rocku, i w życiu, teraz są inne czasy i energię daje szukanie tego, co nowe.

Dziękuję za rozmowę.

Rozmawiała Dorota Nosowska

„Cogito" 1999, nr 1

Aktualny adres Pana Boga

Musiała pani już pierwszymi zdaniami swej nowej książka zbulwersować czytelników: „Łysy, różowiutki, pochrapuje", tak napisać o papieżu!

Tak go widzi Sandra K., bohaterka opowiadania, a niekoniecznie Manuela G. Ona, mając starą, schorowaną matkę, patrzy na starszego, jeszcze bardziej schorowanego człowieka, zasypiającego na pasterce (na nabożeństwie, nie na dziewczynie) cudnym, spokojnym snem, unoszącym się nad Watykanem i całym chrześcijaństwem – tak ona to widzi i z głębi swego dobrego, dziewczyńskiego serca wykrzykuje: „Po co tak męczyć starca? I to w święta!"

Pisze pani w pierwszej osobie i niektórzy czytelnicy nie zauważają, że tak myśli i mówi tytułowa Sandra K.

Nie jestem Sandrą K. ani Madame Bovary. Nie sądzę, żebym musiała się z czegoś tłumaczyć. Literatura nie potrzebuje imprimatur, by iść albo do nieba, albo do piekła. Zła idzie prosto do kosza. Są bardzo dobre książki „bluźniercze", chociażby Dostojewski ze swoim: „a jeżeli Boga nie ma...". Literatura to dialog autora z samym sobą przede wszystkim, a potem do tej dyskusji wtrąca się czytelnik. To, co piszę, idzie na moje konto, a Bóg je zna.

Lubi pani swoją Sandrę K.?

Rozumiem ją. Ta dziewczyna żyje w tym kraju, próbuje żyć i myśleć jak wszyscy, znaleźć miłość, dobrą pracę. Łyka nową rzeczywistość do tego stopnia, że przestaje potem łykać cokolwiek, staje się anorektyczką. Nie wyśmiewam się z Sandry, chociaż pakuje się w groteskę.

Pani bohaterka we wszystkim, co robi, niesłychanie się stara. Nie ona jedna zresztą. Co się z nami porobiło, że tak chcemy wyjść przed orkiestrę, dowieść, że jesteśmy tacy „hej, do przodu"?

Awansujemy. Wszyscy się staramy, bo awansowaliśmy do czegoś, czego byliśmy pozbawieni za komuny. Większość zmieniła zawody, a o tradycji trudno mówić, bo ją przerwano pół wieku temu. Dziewczyny starają się bardziej, bo częściej patrzą w lustro i przez to same stają się lustrem. Dlatego bohaterka tego opowiadania o Warszawie jest dziewczyną. Nie ma już ciotek przyzwoitek, mówiących: „dygnij i buzia w ciup", ale na ich miejsce pojawiły się pisma kobiece, strofujące i radzące, jak zmienić samą siebie.

Początkowo ta historia miała wyglądać nieco inaczej. Moja bohaterka bardzo o siebie dbała i dostała obsesji pryszcza, wyrastającego na twarzy i niszczącego cały efekt. Pryszcz rósł, rósł, aż zamienił się w głowę. Odrąbano więc Sandrze K. głowę i ten pryszcz jako nowa twarz zrobił karierę. Dowiedziałam się jednak, że nakręcono podobny film australijski. Wyszło to Sandrze K. na dobre, bo dzięki temu została jasnowidzącą, widzącą Polskę. A co do pryszczy, nie trzeba chyba ich opisywać, wystarczy włączyć TV, przejrzeć gazetę. Te dopiero zrobiły karierę – pryszcze jako autorytety narodowe i moralne.

Jak, pani zdaniem, było możliwe, że w latach ucisku, cenzury, a przede wszystkim biedy, gdy zarabialiśmy po dwadzieścia dolarów, głupoty wokół było znacznie mniej? Czy to wynika wyłącznie z wiecznej opozycji „mieć" czy „być"?

Wydaje mi się, że żyliśmy wtedy w wieży z kości słoniowej, która tak naprawdę była z plastiku. Wystarczyło wsiąść wówczas do pociągu na przykład z Krakowa do Łodzi, by poczuć się w innym kraju. Wszyscy narzekali, ale narzekali na co innego. Przed rewolucją francuską arystokracji było zaledwie 4 procent. Chyba nic się nie zmienia. Arystokracji duchowej jest tyle, ile procentów w piwie bezalkoholowym.

Nie powie pani jednak, że społeczeństwu najbardziej brakowało ogłupiających reklam proszków do prania i podpasek.

Ludziom brakowało normalności i towarów. Za towarami idzie handel, za handlem reklama. Także podpasek. Każdemu według potrzeb (*śmiech*).

Na najnowszą pani książkę składa się pięć opowiadań. Wszystkie są o miłości, ale najbardziej namiętne jest opowiadanie tytułowe, zarazem najkrótsze, będące opisem przeżyć kobiety podczas zbliżenia seksualnego. Panuje opinia, że język polski nie bardzo nadaje się do opisywania miłości fizycznej, że tematykę erotyczną lepiej oddają obce języki.

Być może są lepsze oralnie, co potwierdza użycie języka we francuskich pocałunkach.

Jest jednak faktem, że o miłości literatura polska mówi często albo zbyt wulgarnie, albo nazbyt oględnie.

Jeżeli ktoś ma problem z odczuwaniem świata, to będzie miał problem z jego opisaniem, chyba że się skupi na problemie, czyli impotencji zmysłów. Z pisaniem o miłości jest chyba tak samo, jak z powiedzeniem komuś: „kocham cię". Są tacy, którym sprawia to trudność.

Szczególnie bardzo młodym chłopcom.

Może właśnie nasza literatura jest bardzo młoda, erotycznie niedojrzała (*cha, cha, cha*).

To więcej niż prawdopodobne. Ale czy panią - pisarsko wyzbytą wszelkiej pruderii - nie razi obsceniczność, wulgarność we własnym i cudzym wydaniu?

Co to znaczy „wulgarność"? Użycie dosadnego słowa?

Tak, przejęcie języka ulicy.

Skoro opisuję ulicę, jestem wtedy adekwatna, a nie wulgarna. Wulgarni mogą być ludzie, ale nie raport z ich życia, czyli literatura. We Francji głośno jest ostatnio o dwojgu młodych autorach, chyba trzydziestolatkach. On pisze perwersyjne historie w stylu powieściowym, ona pisze ostro, brutalnie, czyli „wulgarnie". U nas skomentowano by, że powiało z damskiego wychodka.

A czy bywało tak, że jakiś opis miłosny porwał panią, że pomyślała pani: „Ależ to jest wspaniale uszyte" i „Czy ja bym tak potrafiła"?

Chyba tak, i dlatego warto czytać klasykę, by nie powtarzać pewnych historyjek. Tak było ze mną po przeczytaniu monologu Molly z *Ulissesa*. To jest moje.

W opowiadaniu Latin lover, kolejnym z tomu Namiętnik, przedstawia pani smutnie kończące się dzieje miłości Meksykanina i Szwedki. Czy rzeczywiście Szwecja, w której ostatnio pani mieszka, jest aż tak feministycznym państwem?

Bo jest w kształcie zwisłego penisa – jak zauważa bohater *Latin lover?* Szwecja jest krajem praktycznym. To, co gdzie indziej buja w sferze kulturowej: całuję pani rączki, panie mają pierwszeństwo, kobiety nie bije się nawet kwiatkiem – tam staje się prawem. Za uderzenie kobiety dostaje się cięższy wyrok niż za pobicie mężczyzny. W Szwecji nikt nie musi zarabiać ciałem.

A jeśli jednak kobieta to robi?

To jest chora, a wykorzystywanie osoby cho-
rej jest karane. Karze się za poniżanie. Czyż nie jest to
logiczne?

Aż nadto. Rozwinie się turystyka erotyczna.
Szwedzi będą jeździć na kontynent na panienki.

Jak teraz do Tajlandii. Na dzieci.

Czy ten, mający umocowanie prawne, specjalny
stosunek do kobiet czy dzieci, rozciągnięty jest na emigran-
tów, też przecież słabszych, zagubionych, często nie znających
języka?

Co do obcokrajowców, a jest ich chyba milion w ośmiomilionowej Szwecji, to jest to ćwiczenie na
hipokryzję. Niby nie ma problemu, a tak naprawdę
są getta i ci ludzie nie mają szans na rozpuszczenie
się w „skandynawskim żywiole". Nie zależy na tym
ani państwu szwedzkiemu, walczącemu bezskutecznie
z bezrobociem, ani cudzoziemcom, robiącym z biednych dzielnic swoje małe Turcje czy Kurdystany.

Ale nie wszystkie mieszane rasowo związki, jak
ten, jaki opisuje pani w Latynoskim kochanku, *skazane*
są na klęskę?

To nie jest opowiadanie o rasizmie, seksiz-
mie czy picizmie. To jest o życiu, ludzie się schodzą
i rozchodzą, normalność.

W tym opowiadaniu mamy Szwecję, w innym,
Ikonie - Rosję, *a właściwie temat rosyjski, bo akcja opowia-*
dania toczy się we Francji. Jaki jest pani stosunek do Rosji, czy
fascynuje, pociąga panią jej demonizm?

Nie byłam w Rosji. Mój stosunek do Rosji jest taki, jak do niebytu, bo Rosji jako normalnego państwa chyba nigdy nie było, była w jakimś ciężarze, duszącym Europę i Azję, w książkach, czastuszkach, wspomnieniach. Najlepszym dowodem na nieistnienie Rosji są wyjeżdżający z tego kraju emigranci. Oni wyjeżdżali, bo Rosji już nie było. A czy była kiedykolwiek? U Dostojewskiego, Nabokova. Najpiękniejszy obraz Rosji to pierwszy akt *Miłości na Krymie* Mrożka. Cała groteska legendy, schematów, skansenu.

Czy również Józef Czapski był dla pani postacią ze skansenu? W Ikonie *pokazany jest ostatni okres jego życia, w którym pracowała pani jako jego sekretarz.*

Czapski jest, był dla mnie kimś realnym, nie z podręcznika. Trudno traktować kogoś na kolanach, skoro raczej siadywało się na jego kolanach.

Skąd się wziął Czapski w pani życiu?

Pan Czapski często zmieniał sekretarzy, opisałam to w *Ikonie*. Ktoś mnie polecił i tak dostałam tę pracę. Na pewno wolał sekretarzy, ale nie miał wyboru, więc zgodził się na dziewczynę. To był człowiek o wyjątkowej klasie, nie zniszczyła jej niedołężna starość. Sądzę, że mógł dożyć tak sędziwego wieku dzięki wspaniałej opiece gospodyni. Miałam z nią na pieńku, ale dla pana Czapskiego była aniołem.

Gdyby potraktować pani opowiadanie jako fragment życiorysu, to następnym pani chlebodawcą był rosyjski książę. Z tego, co mówi ów książę – a nie ma wątpliwości, że jest to postać fikcyjna – zapamiętałem piękne zdania o ikonie: „Światłem duszy są oczy, więc najważniejsze jest spojrzenie. Ikona patrzy. Oczy Chrystusa, świętych z ikony przewiercają ci na wskroś duszę". A czym ikona jest dla pani, nie mającej, o ile wiem, z prawosławiem niczego wspólnego?

Tym samym, czym dla rosyjskiego księcia. Zapałką-Trójcą (łepek – Bóg, drzazga – Syn, płomień – Duch), gorejącą w Jedności. Dlaczego nie? Gdzieś na Sołówkach i zapałka mogła być ikoną. Mnie takie przejścia od realizmu do skrajnego odjazdu interesują. To nie odjazd dla samej hucpy, lecz konsekwencja logiczna, gdyż najbardziej szalona jest w ludziach skrajna logiczność, na której żeruje paranoja.

W Murze, *ostatnim opowiadaniu, o których rozmawiamy z racji wydania* Namiętnika, *wraca pani do tematyki klasztornej, poruszanej wcześniej w* Tarocie paryskim. *Czyżby pobyt w klasztorze, niezbyt długi, wywarł na pani tak silne wrażenie?*

To był wyjątkowy klasztor. Koedukacyjny, judeochrześcijański pod opieką papieża. Mieści się w barokowym pałacu. W zakamarkach, w świetle świec są jakieś tajemnice, działające na wyobraźnię. Tamtejsza cisza daje wewnętrzne wyciszenie.

Mówi pani jak turystka...

Dlaczego?

Miałem znajomego, który po miesiącu spędzonym w opactwie tynieckim opowiadał wszystkim naokoło, jak to

*się wyciszył, odmienił wewnętrznie, a po miesiącu chlał wódę
jak wcześniej.*

Może warto było choćby na ten miesiąc.

Ależ klasztor nie jest szpitalem!

Jest duchowym szpitalem. Ale ja nie pojechałam tam na terapię. Pojechałam do Pana Boga, bo pod aktualnym adresem, w Paryżu, go nie zastałam.

*Jest pani osobą poszukującą, szczególnie - jak mi
się zdaje - w kwestiach wiary. Można się jednak spytać, po co
komplikować to, co jest proste? Czy po wyprawach do Azji,
do świątyń tybetańskich, hinduistycznych nie tęskni pani do
kościoła w Łodzi, Krakowie czy Warszawie?*

Tęsknię za barokiem, gotykiem, nie za współczesnymi kazaniami. Z przyjemnością słuchałam księdza Twardowskiego, ale on jest poetą. Natomiast gdy słyszę zamiast ewangelicznego słowa gazetę, na przykład kardynała Glempa mówiącego, że „autorem zbawienia był Jezus Chrystus", to zaczynam wątpić w słuszność świętego pouczenia: „Kto ma uszy, niechaj słucha".

Do czego podobne słowa mają trafić? Do intelektu? Do serca? Chyba nie, bo są opakowane w gazetę, a nie w uczucia.

*Czyżby miała pani ochotę wytoczyć najcięższą
artylerię przeciw Kościołowi?*

Nic podobnego, mówię tylko o języku, który Słowo Boże zamienił w kościelną nowomowę. Nie wszędzie, ale wystarczająco często, by idąc na mszę, bać się kazania. Słowo jest jak chleb i trzeba się nim dzielić, a nie pakować ten chleb sobie do ust, tak że niewiele można już zrozumieć. Czy dar wymowy zachowali jedynie jezuici i górale? Uwielbiam słuchać misjonarzy. Ostatnio jeden z nich krzyczał na pół Bałut, ludzie padli na kolana i w płacz. To było kazanie! Być może trzeba nas nawracać po misjonarsku, a nie zanudzać po księżowsku?

Pani nie zgadza się na język księży, wielu czytelników oburza język pani książek. Doradzi im pewnie pani: nie czytać!

Mój język jest zabawą, esejem, emocjami. Czemu się oburzać? Nie pretenduję do rządu dusz.

Rozmawiał Krzysztof Masłoń

„Rzeczpospolita" 1998, nr 304

Spis treści

Książki oraz bezpłatny katalog
Wydawnictwa W.A.B.
można zamówić pod adresem:
ul. Nowolipie 9/11
00-150 Warszawa
fax: (22) 635 15 25
e-mail: wab@wab.com.pl
http://www.wab.com.pl

Redakcja: Jan Gondowicz
Korekta: Maria Fuksiewicz
Redakcja techniczna: Urszula Ziętek

Projekt okładki i stron tytułowych: Maciej Sadowski
Na I stronie okładki wykorzystano portret
ks. Katarzyny Skowrońskiej pędzla Elisabeth Vigée-Lebrun
Fotografia na IV stronie okładki: © Jacek Poremba

Wydawnictwo W.A.B.
ul. Nowolipie 9/11, 00-150 Warszawa
tel., fax 635 15 25, tel. 635 75 57
e-mail: wab@wab.com.pl
http://www.wab.com.pl

Skład: Komputerowe Usługi Poligraficzne, sc.
Piaseczno, ul. Żółkiewskiego 7
Druk i oprawa: Drukarnia Wydawnicza im. W. L. Anczyca S. A.

ISBN 83-88221-28-0